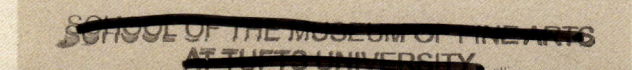

Vik Muniz

Erotica

27 octobre - 12 décembre 2001

Texte de Catherine Millet

Galerie XIPPAS

Vik Muniz
Erotica Salvatrix

Inutile de le nier : lorsque l'on entre dans la salle d'exposition où sont accrochées les œuvres de la série *Erotica* (2001), aussi averti que l'on soit, on en prend plein la figure. Cibachromes et C-prints d'un mètre soixante à plus de deux mètres cinquante de côté présentent en gros plan des fesses, des seins ainsi que des verges pénétrant des vulves selon à peu près tous les angles de vue. On supporte le choc, d'abord, justement, à cause de la dimension de ces images que Vik Muniz est allé glaner sur les sites pornographiques d'Internet et qu'il reproduit à une échelle qui, au sens propre, nous oblige à prendre une distance par rapport à elles. Les points de vue sont parfois si rapprochés qu'on a du mal à comprendre de quelle façon se raccordent les différentes parties de corps, et il arrive que dans un premier temps on ne distingue qu'une image vaguement abstraite. Il faut alors prendre du recul pour comprendre la scène. Par ailleurs, les surfaces sont lisses, propres, et même si on se rend compte que la matière photographiée est souple, avec des creux et des bosses, des zones d'ombre et des zones de lumière, bien plus sensuelle, en fait, qu'une image pixélisée apparaissant sur l'écran de l'ordinateur, le glaçage photographique met comme un voile pudique sur ces chairs quelque peu, il faut le dire, cellulitiques.

Les choses se gâtent (presque au sens propre) lorsque l'on s'attarde devant ces œuvres — comme c'est normal de le faire devant toute œuvre d'art — et qu'on les examine plus en détail. La qualité de la reproduction permet de distinguer des sillons, très agrandis, d'empreintes digitales, des griffures donnant l'illusion des poils ou le piquetage des testicules, ou encore le rendu du relief là où les lèvres de la vulve se retroussent au passage de la verge, etc. Le regardeur est pris au piège ; il est comme un lilliputien, le nez entre les cuisses de géants. La matière reprend ses droits sur la distance photographique, la chair sur son image. Voici pourquoi. Comme à son habitude, Muniz ne s'est pas contenté d'agrandir une image trouvée. Avec un soin inégalable, il l'a d'abord copiée, sur une surface de quelques centimètres, en utilisant une substance bien concrète et spécifique, ici de la pâte à modeler, d'où la simulation de la chair et, qui plus est, d'une chair malaxée. C'est parce qu'il a appuyé avec ses doigts, étalé la pâte, que les peaux ont cet aspect granuleux de cellulite. C'est un peu dégoûtant. On ne se sent pas très fier de contempler comme ça du vulgaire porno (toute la série est sous-titrée *Silly Putty*). Si bien que l'on reconsidère le tout en retournant quelques pas en arrière.
Ces allers et venues entre le caractère tactile d'une matière, par lequel le spectateur aime se laisser prendre (et dans lequel l'artiste manque toujours de s'empêtrer ; Muniz avoue de nombreux ratages...), et le pouvoir d'abstraction de la photographie, le communiqué de presse de l'exposition à la Galerie Xippas les évoquait de façon on ne peut plus elliptique, — et paradoxale : "*le contact presque physique avec l'empreinte des doigts de l'artiste* (oh là là ! [c'est moi qui commente]) *permet d'inscrire une distance (...) et de découvrir d'autres images (...), comme des paysages ou une cartographie...*" (Personnellement, je n'y aurais pas pensé, mais chacun s'échappe comme il peut de l'emprise...) Ceci n'est pas sans rapport avec ce que déclare l'artiste sur le choix de son médium. D'abord attiré par la sculpture, il découvre finalement que : "*La photographie charrie le code des objets tridimensionnels sans le bagage du poids et du volume (1).*" Devant ces œuvres, je n'ai pas, moi, imaginé un paysage, non, j'ai pensé à... Barnett Newman ! (Chacun sa libido...) Newman, dont Muniz se moque gentiment dans l'entretien que je viens de citer. Les tableaux de Newman ont la faculté de convertir leur puissante présence en une sensation d'évanescence. Spectateur, ou bien vous sombrez dans des mètres carrés de toile peinte, ou bien vous vous laissez transporter, alléger par eux. Vik Muniz vous place face à ce genre d'alternative.

Bien sûr, la série *Erotica* appartient à une autre tradition, celle de la peinture "tartinée", des nus de Picabia, composés d'après les photographies des revues de charme au début des années quarante, et dont la touche est souvent bien visible, un peu grossière, et celle des provocantes *Women* de De Kooning. De Kooning qui expliquait parfaitement le pourquoi de la chose en prétendant que "*la chair avait été la raison d'être de la peinture à l'huile*". Et la pâte à modeler donc ! Mais on a vu que simultanément la technique photographique permettait à l'artiste de lisser cette pâte et donc de modérer sa relation mimétique avec ce qu'elle désigne. En ce sens, Muniz se rapproche plutôt d'un autre peintre qu'il aime beaucoup, Salvador Dalí, dont d'ailleurs le club de fans va aujourd'hui s'élargissant, ce qui est heureux. Dalí ne s'est-il pas appliqué à rendre des corps flasques, des matières en décomposition, voire excrémentielles, au travers de tableaux dont le fini est quasi "photographique" ? Parodiant Breton, et cultivant le paradoxe, Dalí n'hésita pas également à proclamer : "*La beauté sera comestible ou ne sera pas*". On suppose que Vik Muniz, qui a réalisé des images à l'aide de sucre, de poivre, de Ketchup, de beurre de cacahuète, de sirop de chocolat..., avant d'utiliser la pâte à modeler (et toutes les mamans savent que les enfants ont la furieuse manie de porter la pâte à modeler à la bouche) a pu être sensible à cette définition. Dalí, Muniz nous mettent ainsi en face de nos responsabilités. Si l'art se consomme, à nous, amateurs, de choisir si cette consommation se convertit en beauté, ou en déjection...

Pour lui-même, Muniz a choisi. Les compositions en sucre ou en chocolat sont dispersées, ou détruites, après que la photo a été prise. De toute façon, certaines sont extrêmement fragiles et précaires. Dans l'exposition de la série *Erotica*, on pouvait voir une boule pas très grosse, beigeasse, trônant de façon un peu ridicule, dérisoire, dans l'espace qui lui avait été réservé, à l'écart. Elle me fit penser à une urne. Renseignements pris, il s'agissait du bloc de pâte à modeler qui, façonné, réagglutiné et refaçonné, avait été nécessaire pour la confection de toutes les images. Matière première qui reste première, rendue définitivement à son état d'agrégat confus, de déchet, matière évacuée de l'image qui, elle, triomphe dans son impalpable pérennité...

Toujours dans la même interview, Muniz parle encore de son admiration pour les portes du baptistère de la cathédrale de Florence, dues à Ghiberti. Ce qui retient son attention, c'est que le bas-relief exploite simultanément une subtile illusion de perspective et la précision bien physique des détails du relief. Autrement dit, face aux scènes représentées, la perception oscille entre la séduction toute mentale exercée par une enfilade d'arches vue en perspective, et l'attraction "haptique" du bronze. La question se pose de façon comparable devant les œuvres de la série *Erotica*. Admirons-nous le travail habile de quelques grammes de pâte à modeler, ou bien contemplons-nous de saisissantes, suffocantes, photographies ? Nous attachons-nous à la propriété qu'a ce modeste matériau, la pâte à modeler, de se confondre avec la substance-même de l'être humain, ou bien trouvons-nous là l'occasion de réviser, de transcender nos opinions toutes faites sur la photo porno ? Ces œuvres sont des propositions indécidables, et elles nous font prendre conscience que c'est peut-être tout notre rapport au monde qui se situe ainsi dans un flottement : habitons-nous le monde des choses concrètes ou bien le monde des images des choses ? Même lorsque nous faisons l'amour et que notre corps se confond avec un autre corps, n'est-ce bien que ce corps que nous étreignons, n'est-ce pas aussi la construction imaginaire, fantasmatique, dont nous l'habillons ?

Il n'est pas interdit de penser que les images crues de Vik Muniz, obtenues à partir d'une matière crue, nous éclairent sur un point fondamental de théologie. Dieu créa l'homme en le façonnant dans un peu de glaise. A son instar, l'artiste modèle des corps avec un peu de pâte. Mais cette pâte, il l'écrase, l'étale sur un plan, renonce à ce point à lui donner du volume qu'il finit par la photographier pour la ramener parfaitement dans la bidimensionnalité de l'image. D'où cette conclusion : est-ce bien le Dieu incarné qui a sauvé le monde ? Ne seraient-ce pas plutôt les images du Dieu incarné ? Les images, c'est-à-dire l'art. N'est-ce pas l'art qui chaque jour renouvèle le sauvetage du monde ?

Catherine Millet

(1) Les citations de Vik Muniz sont extraites d'un entretien avec Charles Ashley Stainback, catalogue *Seeing is Believing*, International Center of Photography, New York, Arena Editions, Santa Fé, 1998.

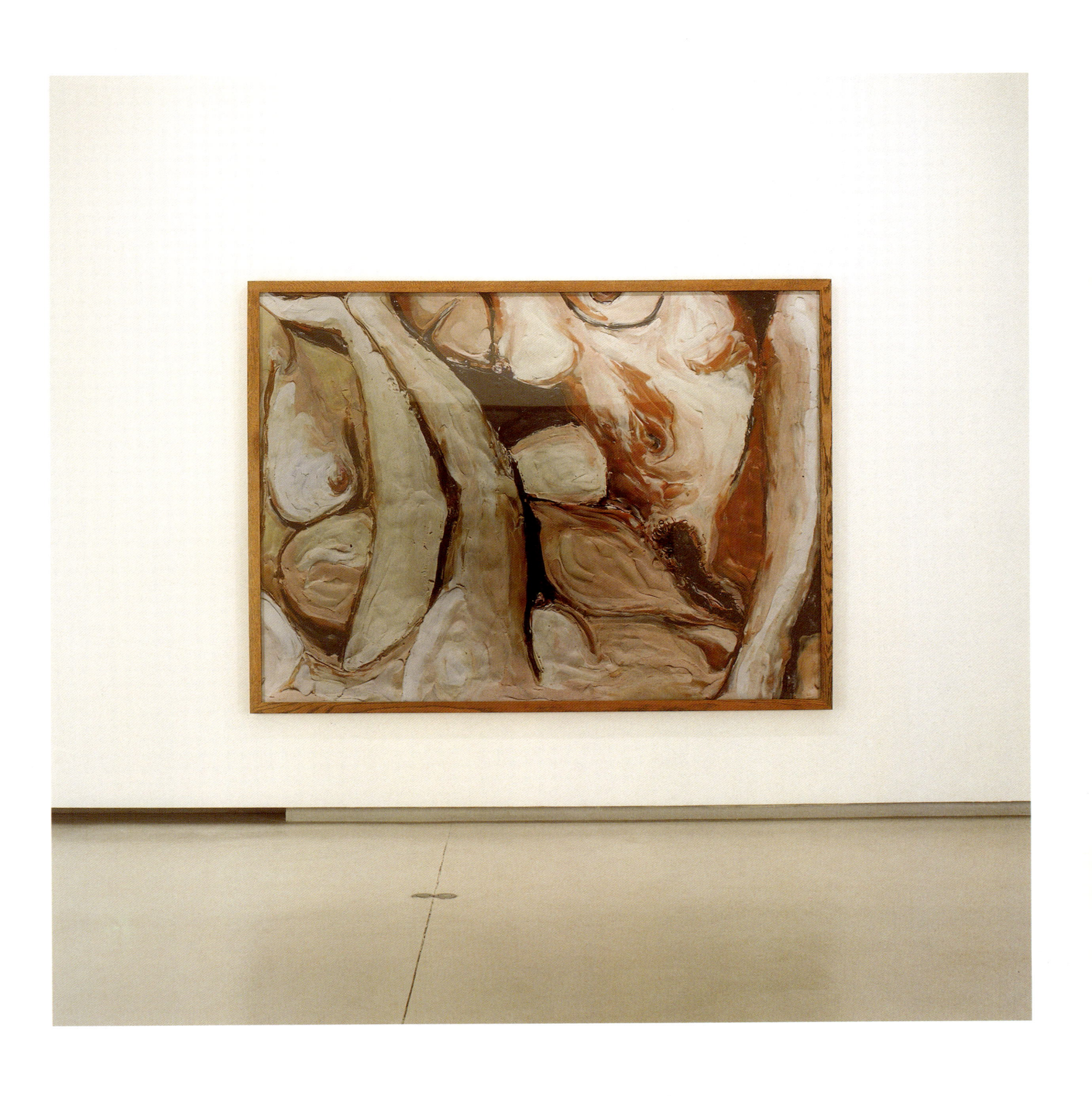

Vue de l'exposition / View of the exhibition, Galerie Xippas, 2001 :
Erotica 2 (Pictures of Silly Putty), 2001

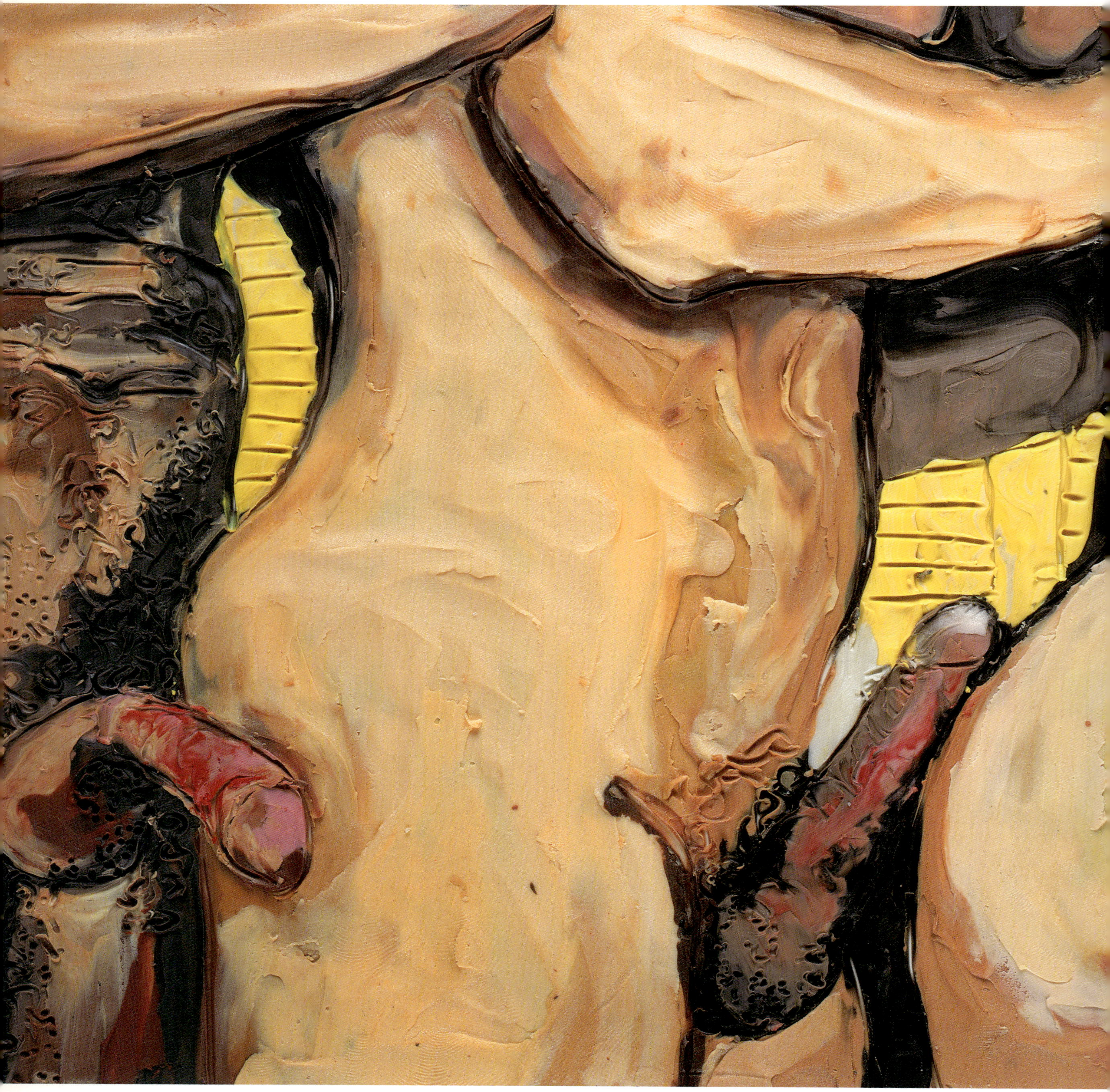

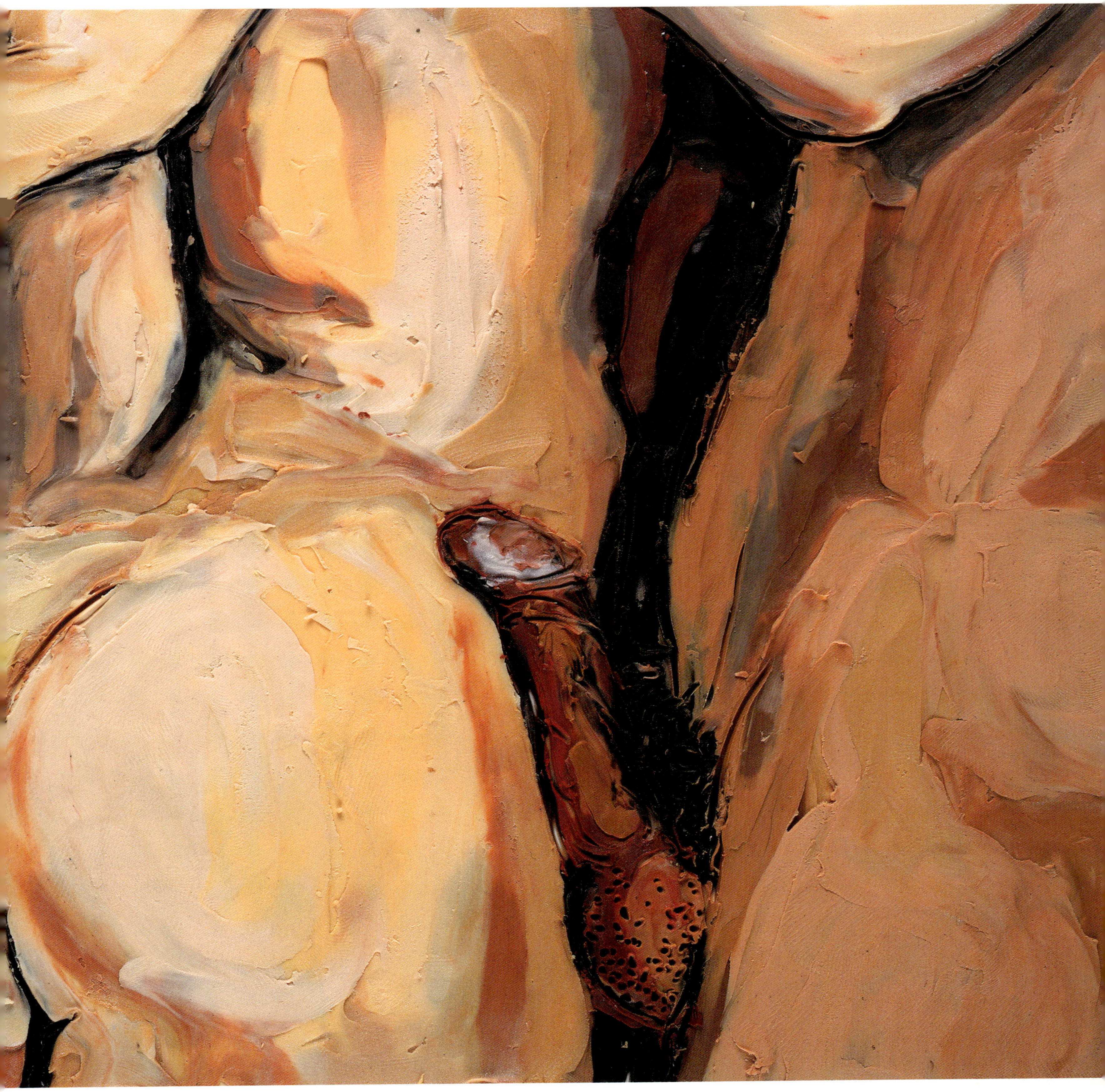

Page précédente / Previous page :

Erotica 7 (Pictures of Silly Putty)
2001
Ilfochrome
Edition de 3 + 2 AP
125 x 257 cm / 49 x 101 in

Page ci-contre / Opposite page :

Erotica 1 (Pictures of Silly Putty)
2001
Ilfochrome
Edition de 3 + 2 AP
162 x 125 cm / 64 x 49 in

Page suivante / Next page :

Erotica 1 (Pictures of Silly Putty)
Détail

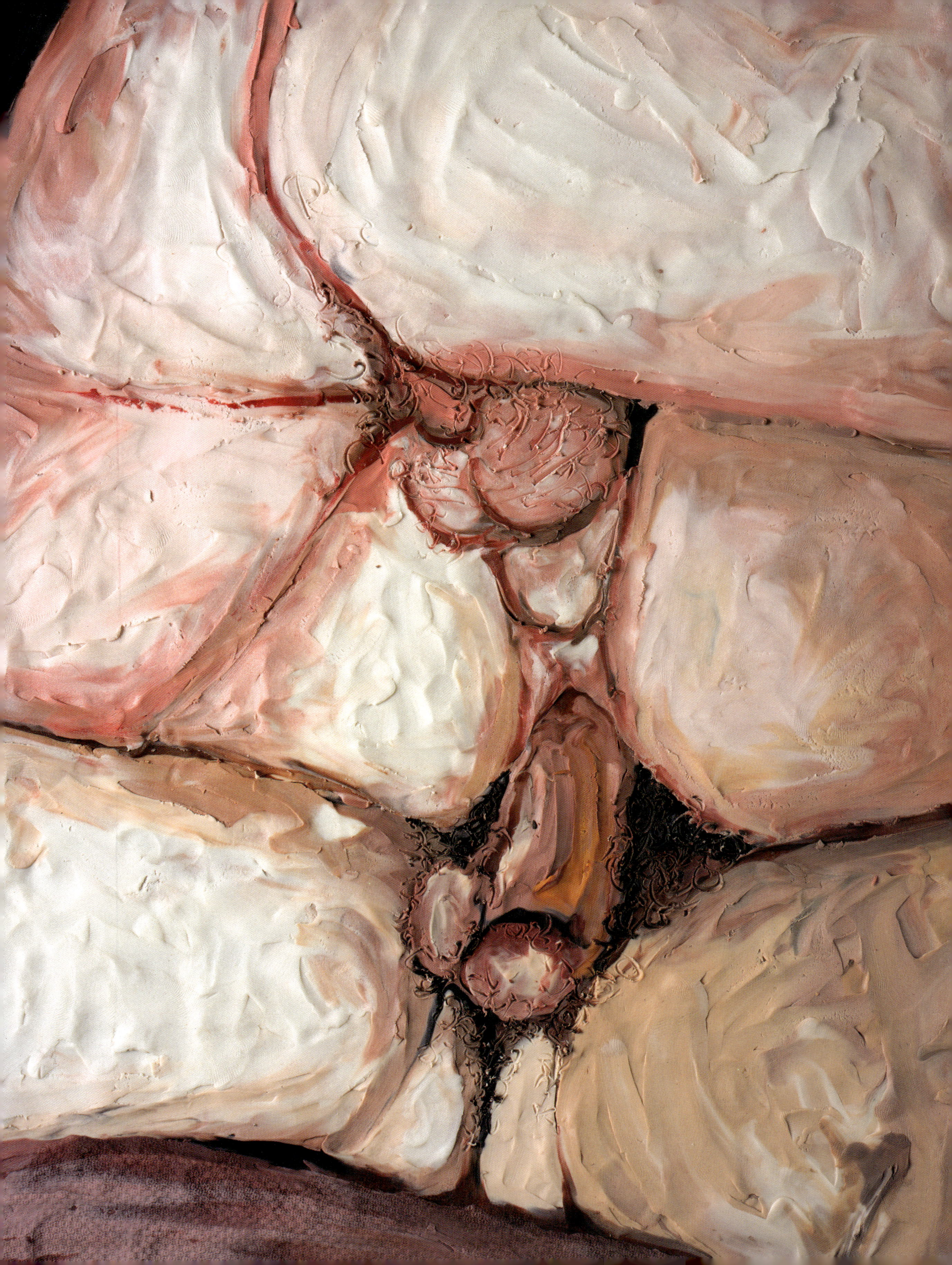

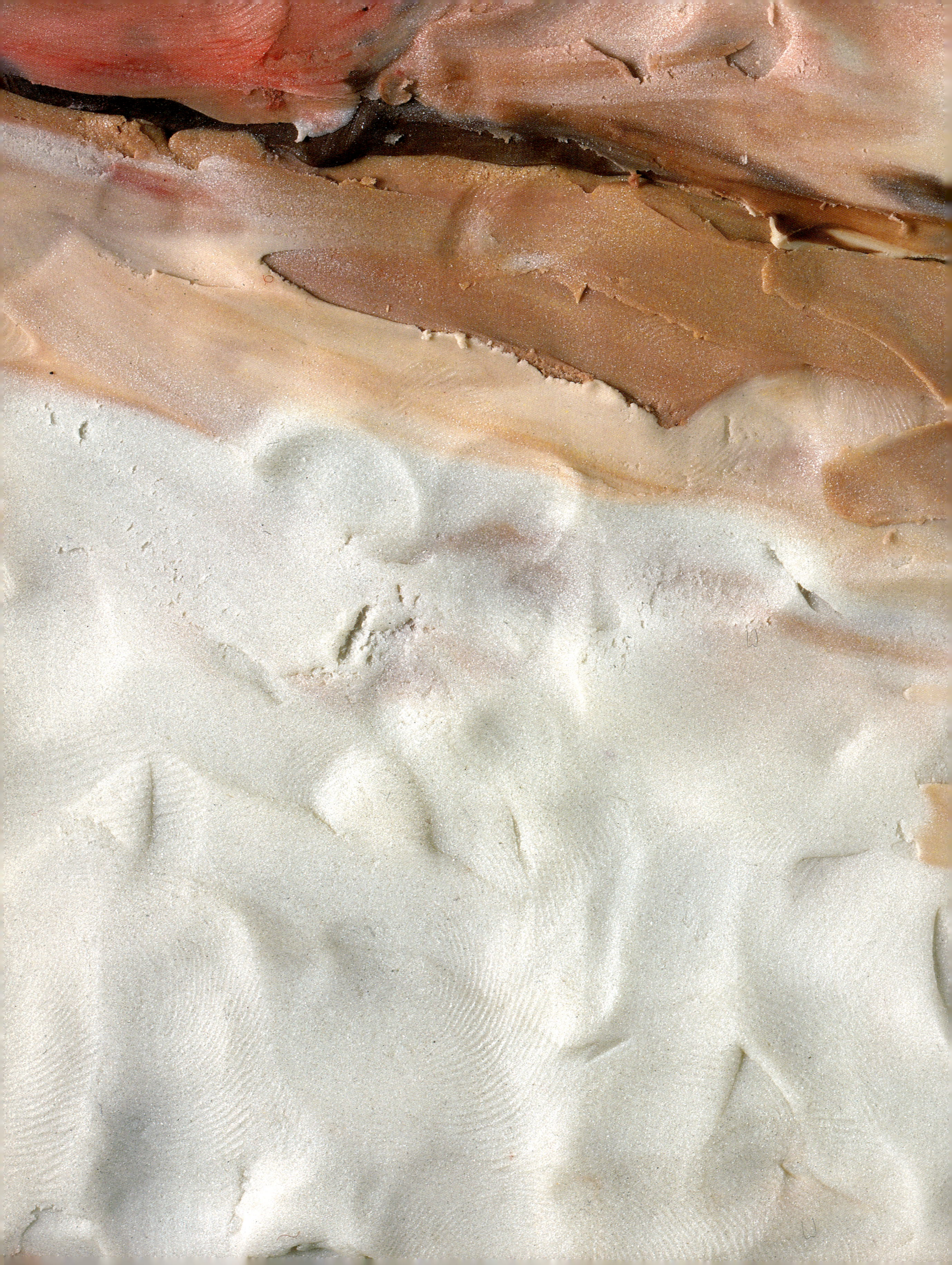

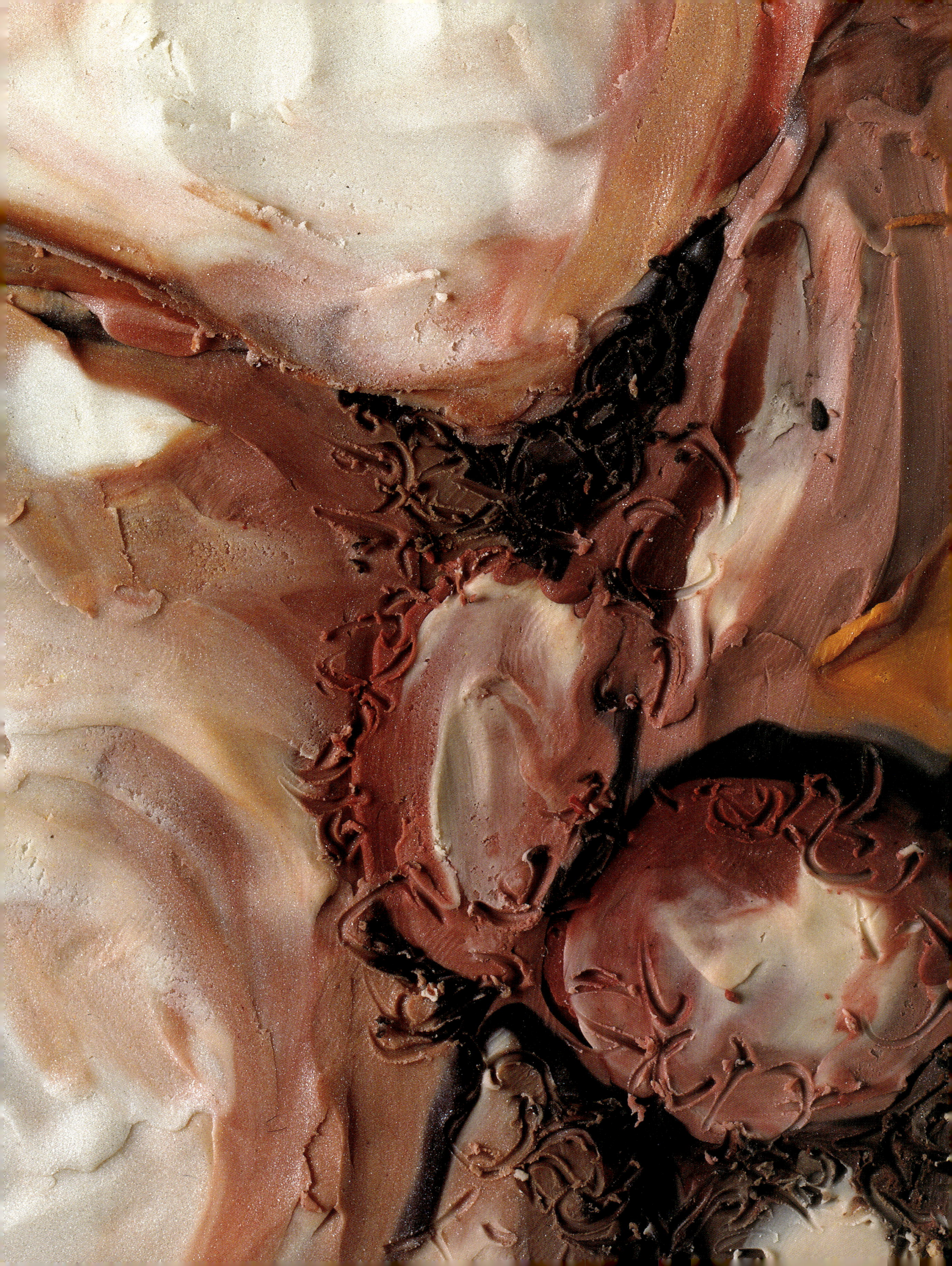

Erotica 10 (Pictures of Silly Putty)
2001
Ilfochrome
Edition de 3 + 2 AP
190 x 125 cm / 75 x 50 in

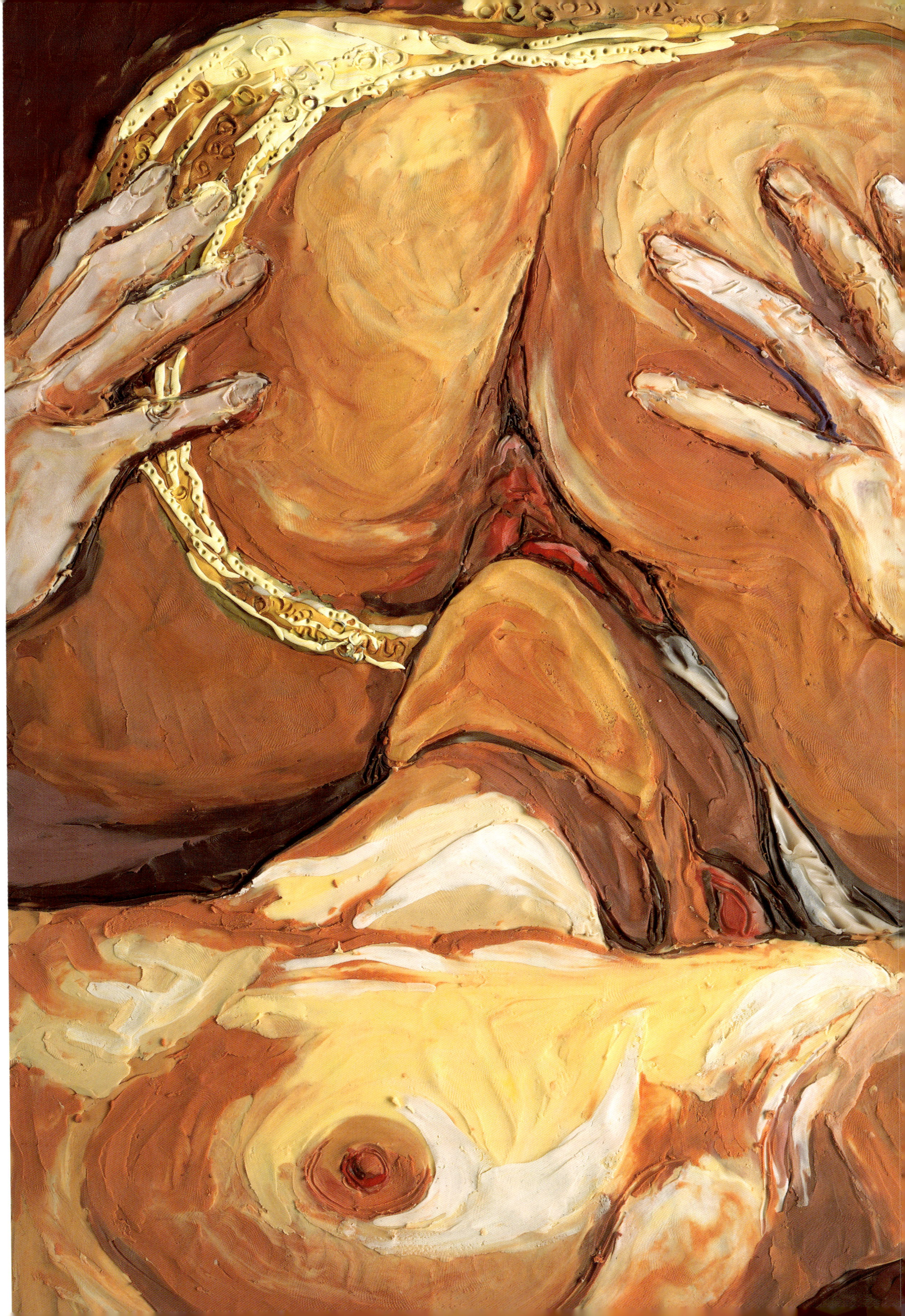

Page ci-contre / Opposite page :

Erotica 5 (Pictures of Silly Putty)
2001
Ilfochrome
Edition de 3 + 2 AP
162 x 125 cm / 64 x 49 in

Page suivante / Next page :

Erotica 2 (Pictures of Silly Putty)
Détail

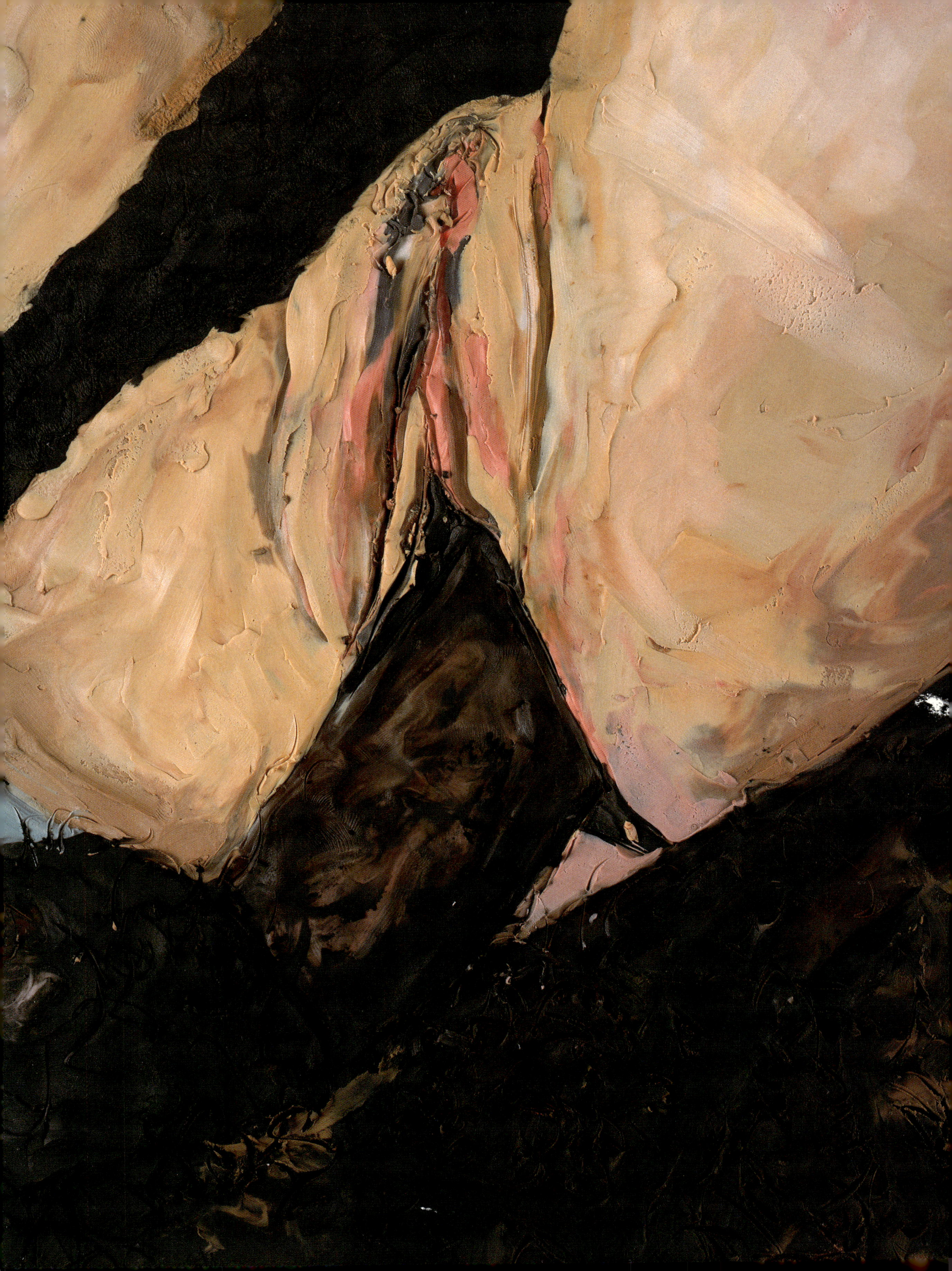

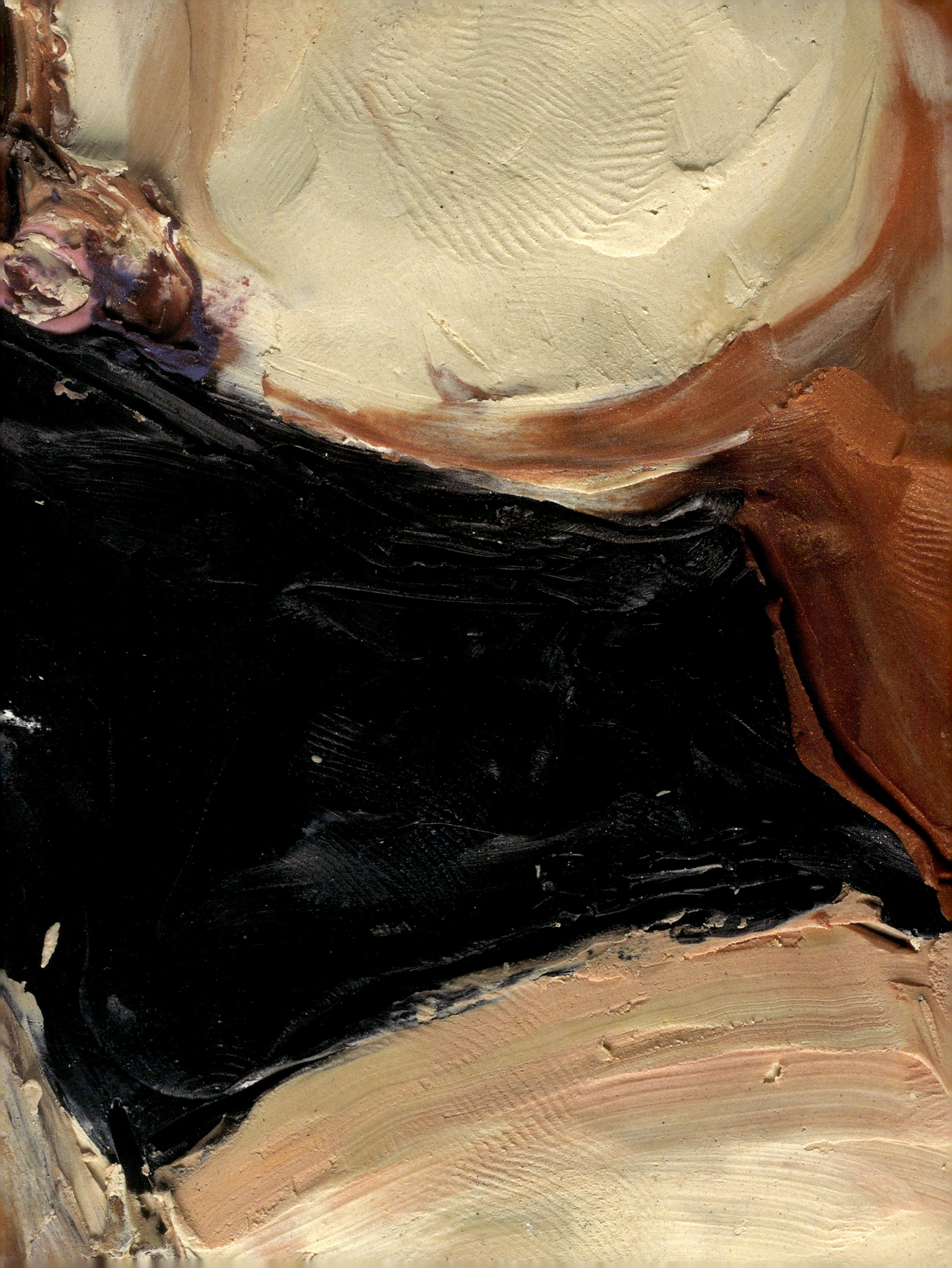

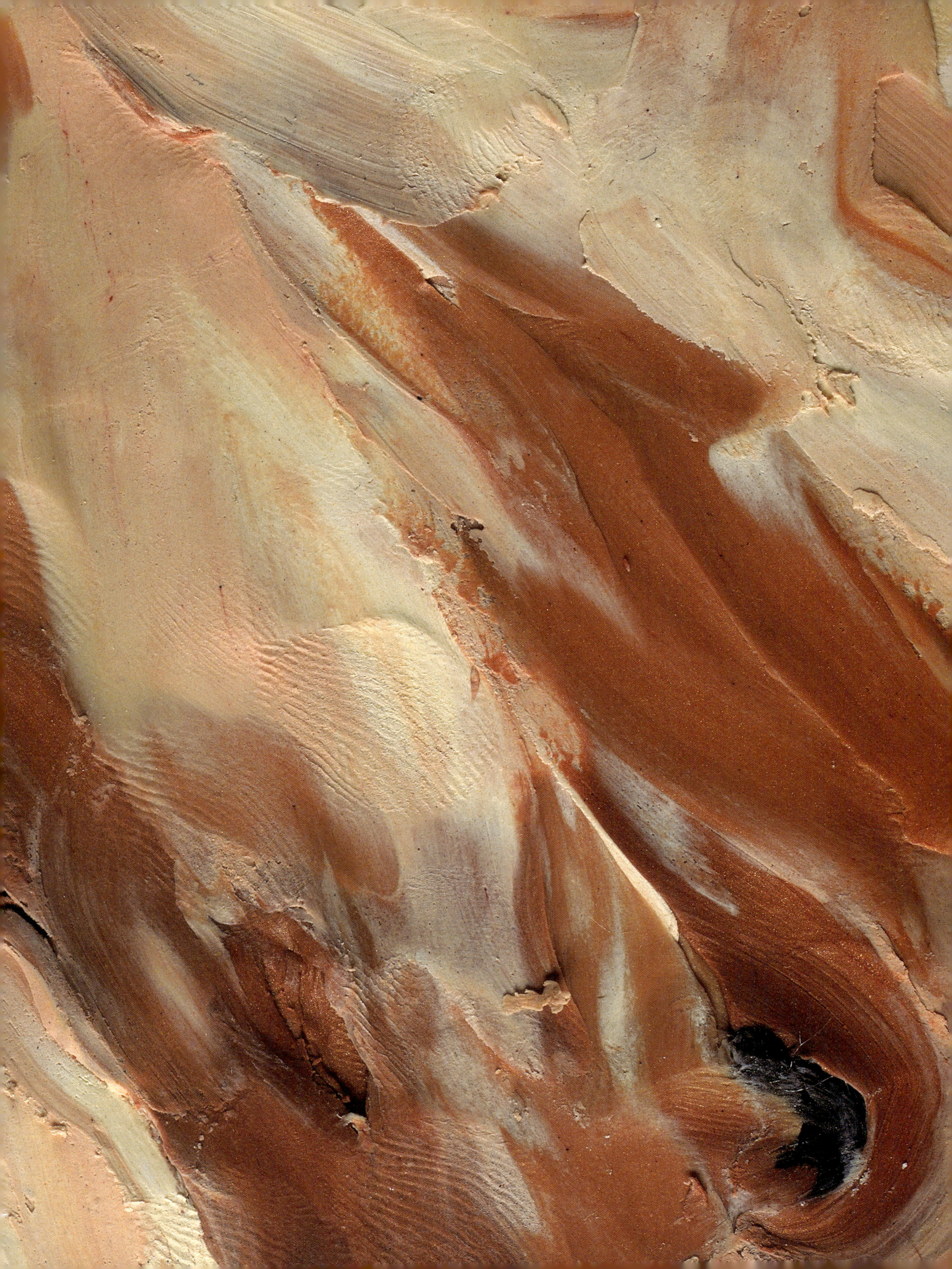

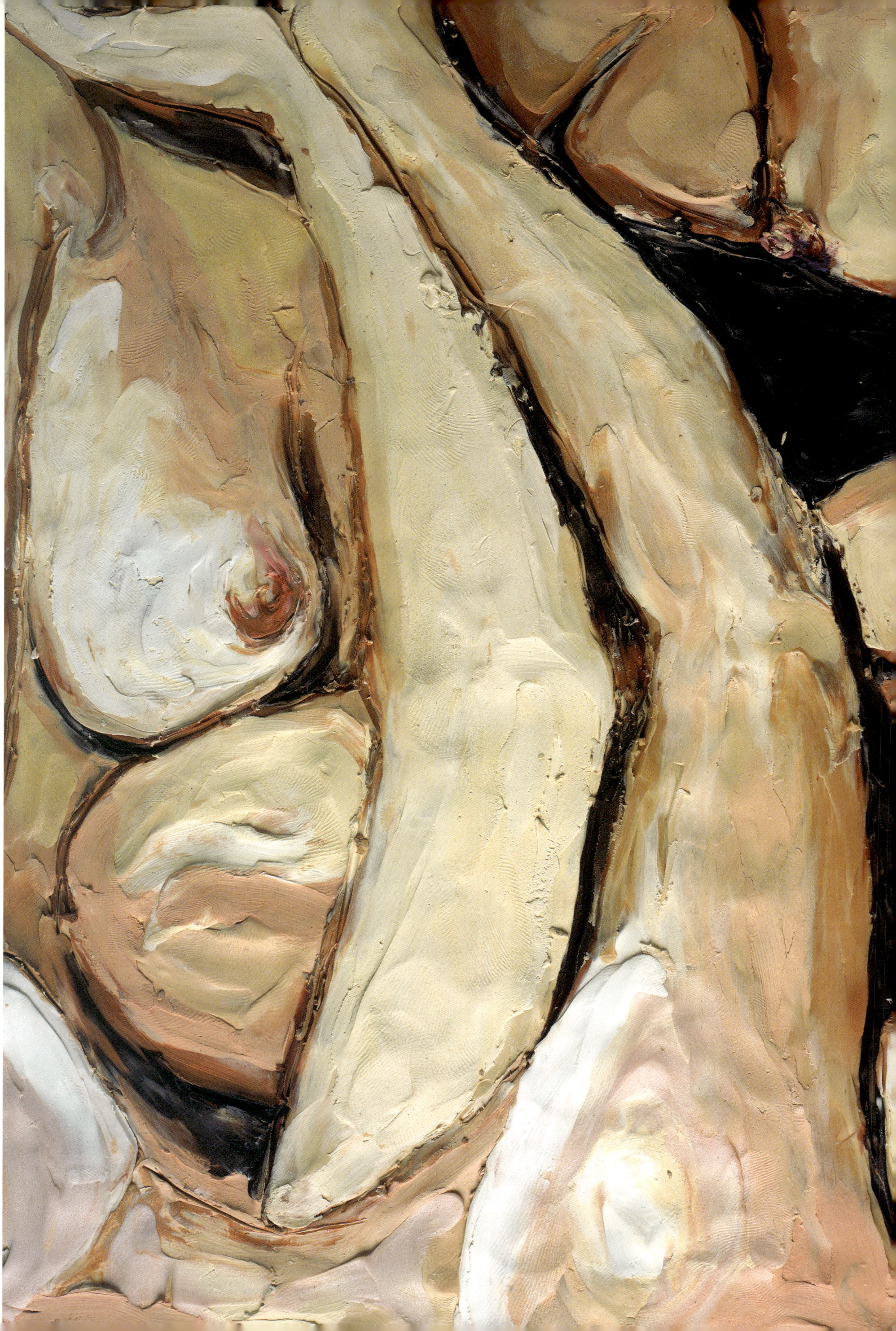

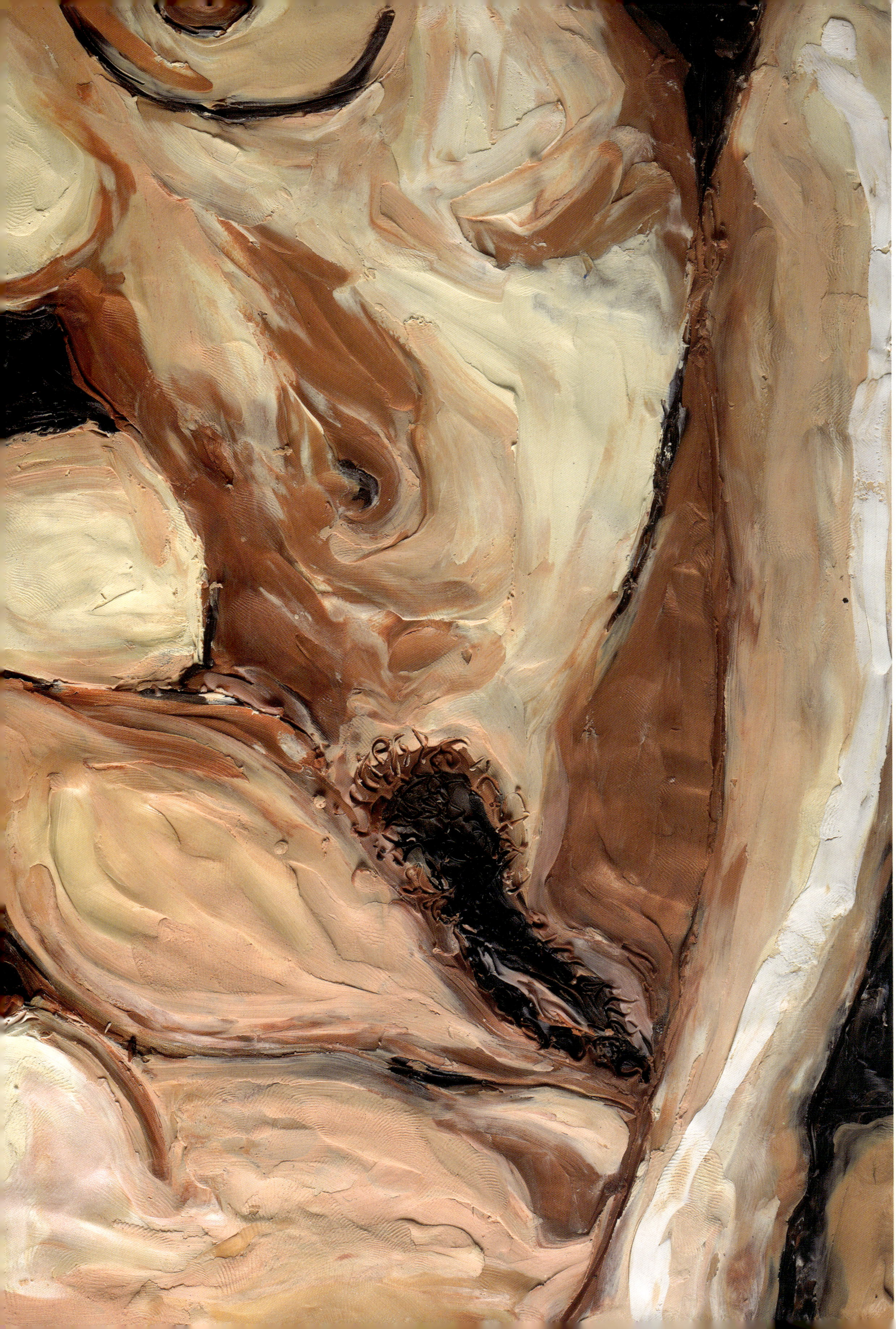

Page précédente / Previous page :

Erotica 2 (Pictures of Silly Putty)
2001
C-Print
Edition de 2 + 1 AP
180 x 237 cm / 71 x 93 in

Page ci-contre / Opposite page :

Erotica 8 (Pictures of Silly Putty)
2001
Ilfochrome
Edition de 3 + 2 AP
185 x 125 cm / 73 x 50 in

Page suivante / Next page :

Erotica 2 (Pictures of Silly Putty)
Détail

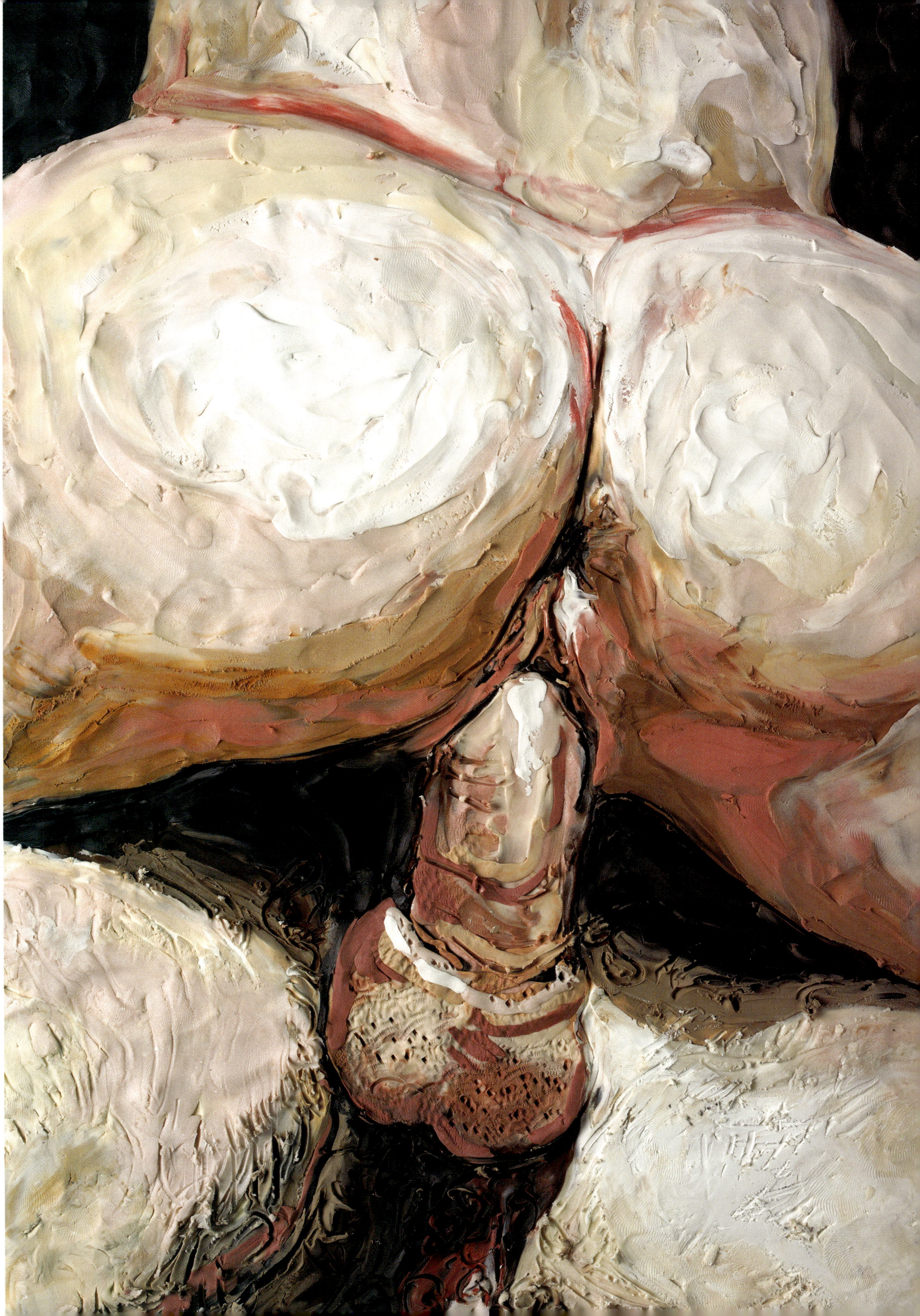

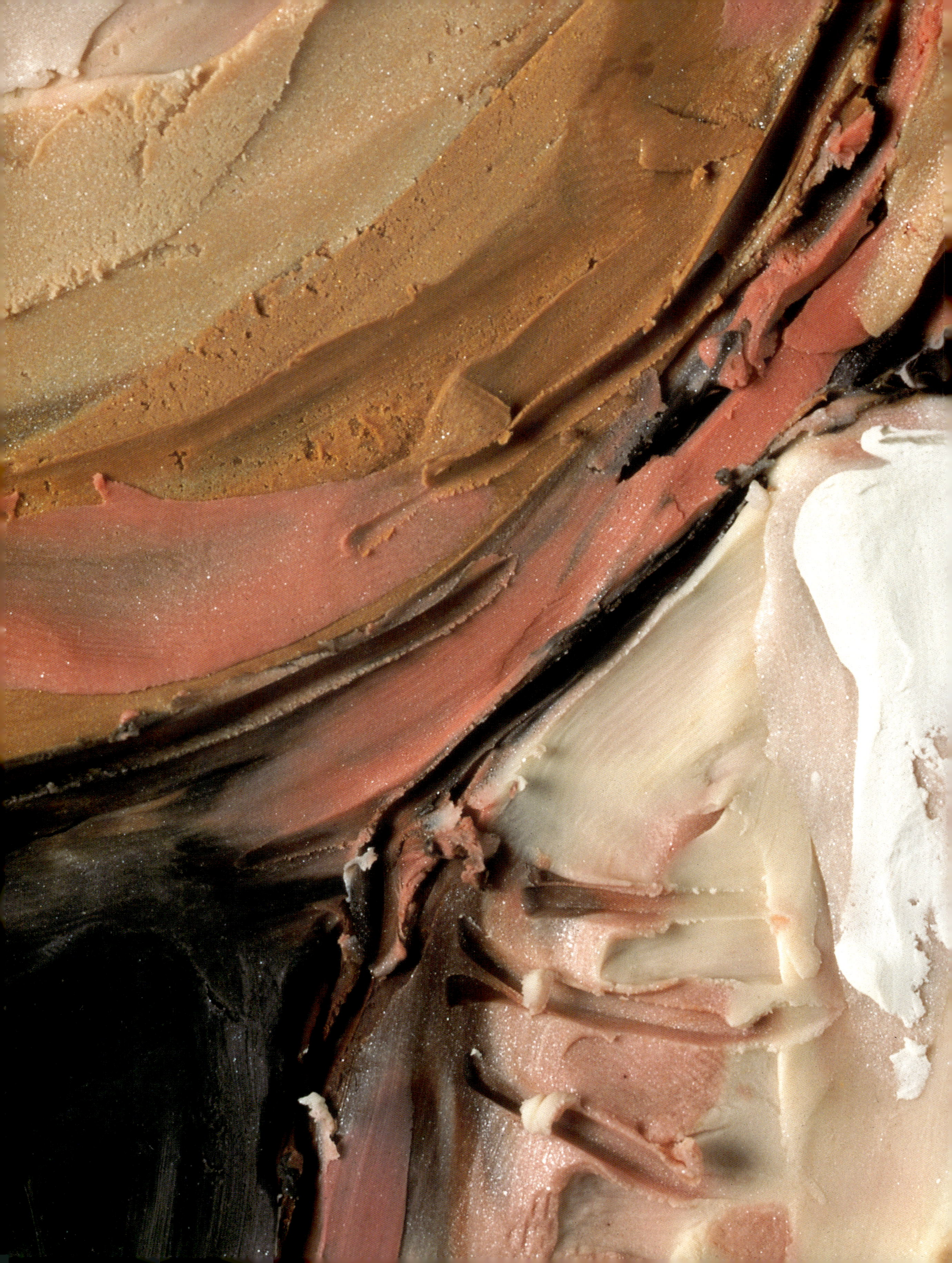

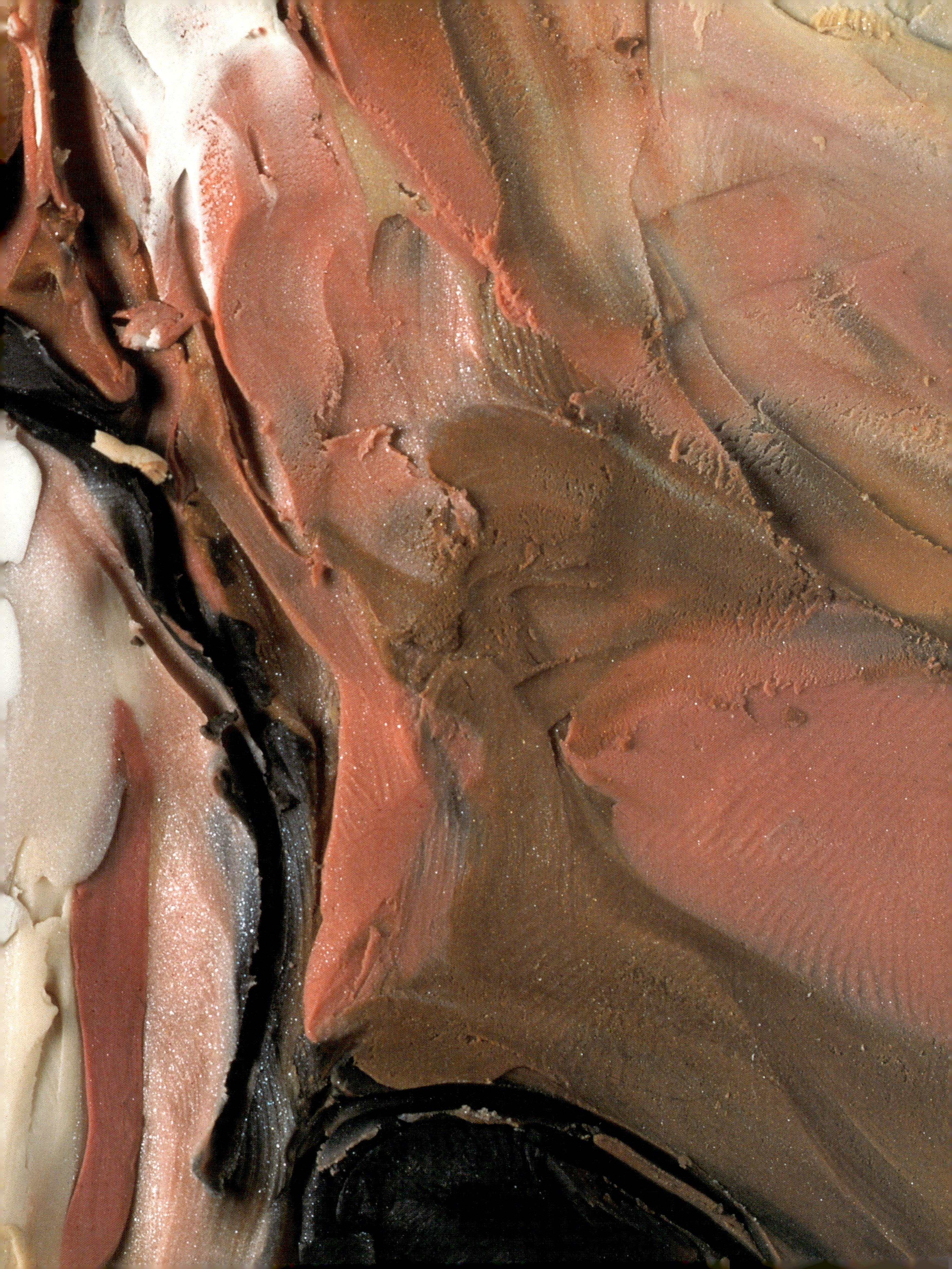

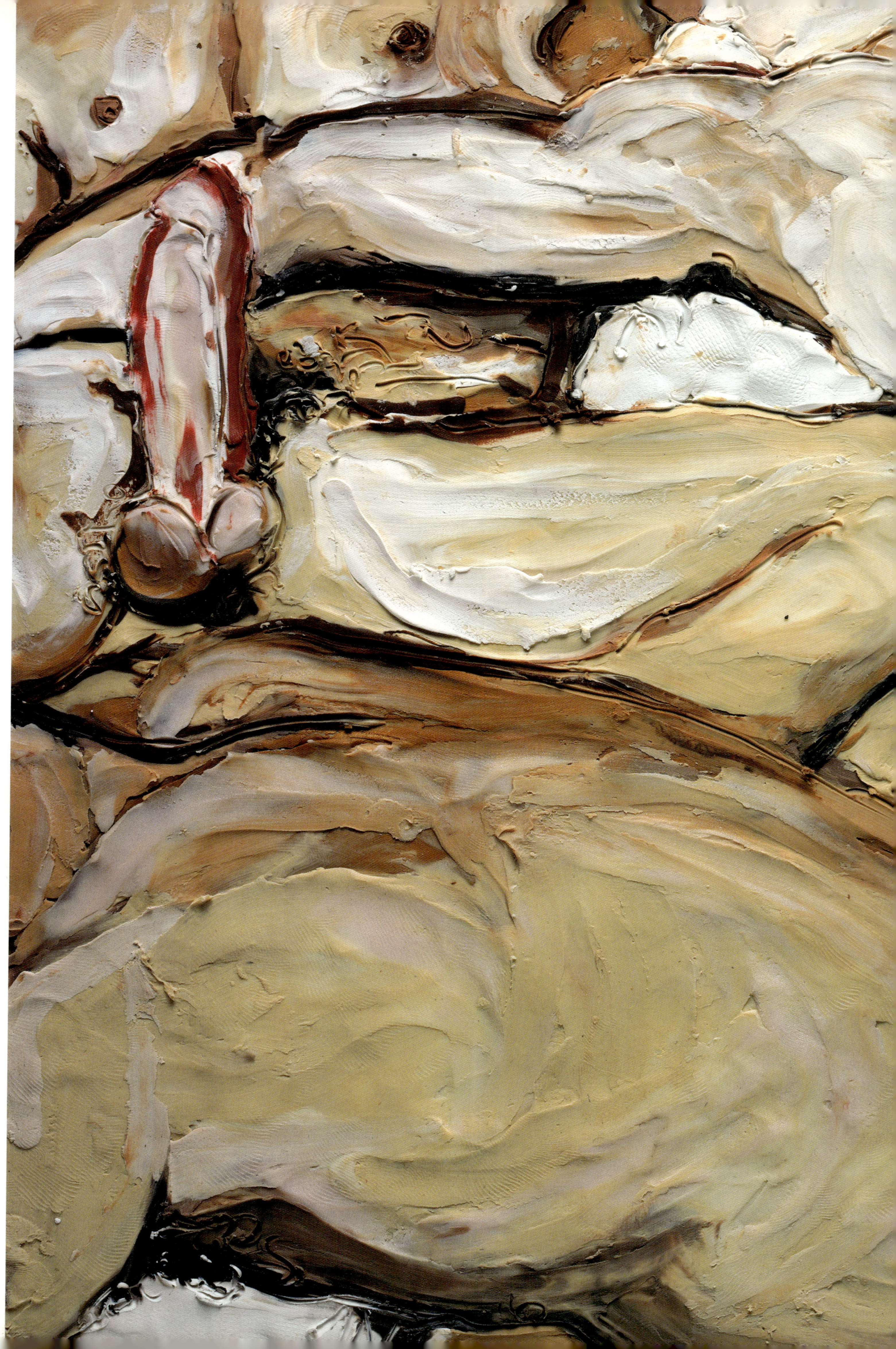

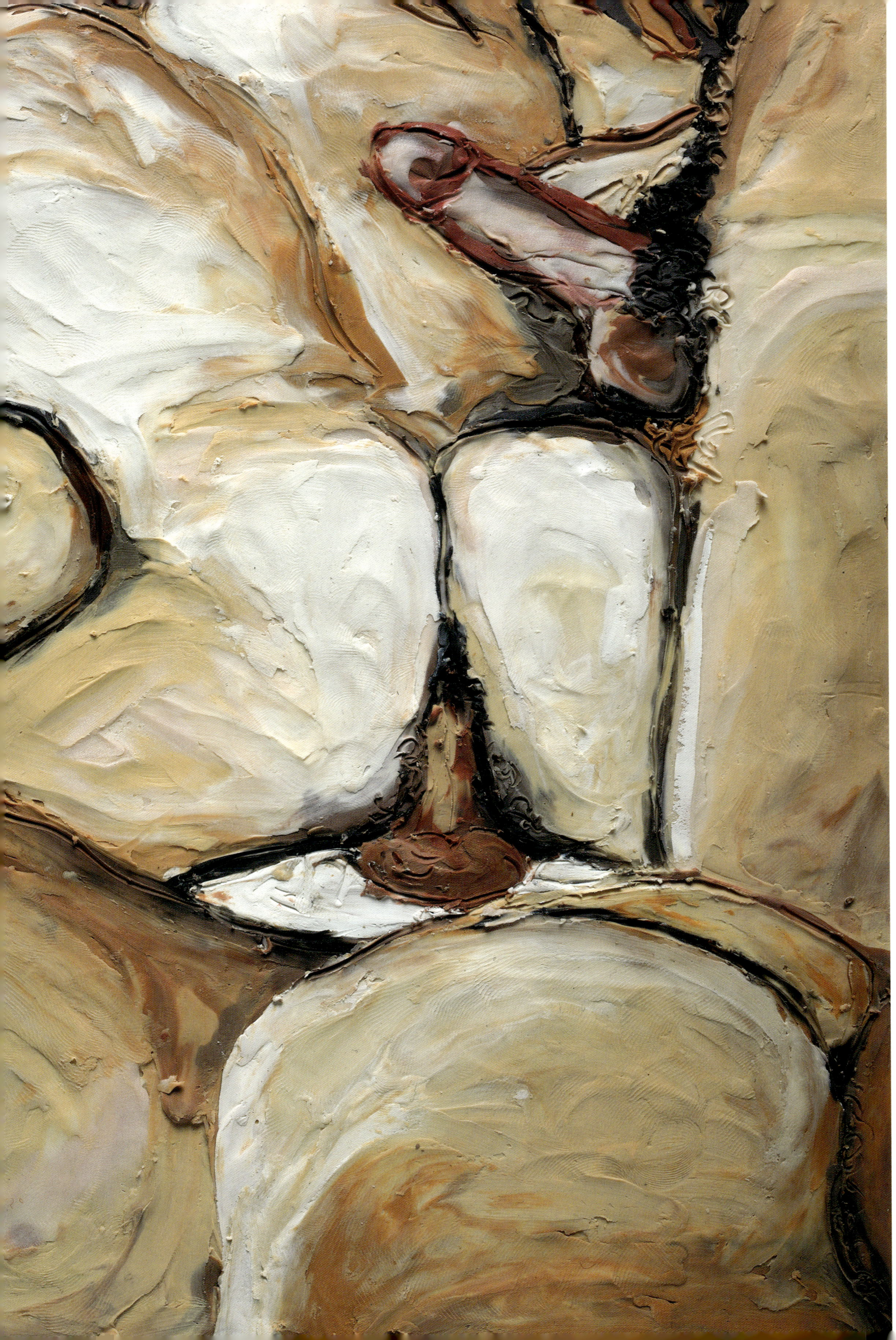

Page précédente / Previous page :

Erotica 6 (Pictures of Silly Puttty)
2001
C-Print,
Edition de 2 + 1 AP
180 x 243 cm / 71 x 96 in

Page ci-contre / Opposite page :

Erotica 9 (Pictures of Silly Putty)
2001
Ilfochrome
Edition de 3 + 2 AP
162 x 125 cm / 64 x 50 in

Page suivante / Next page :

Erotica 9 (Pictures of Silly Putty)
Détail

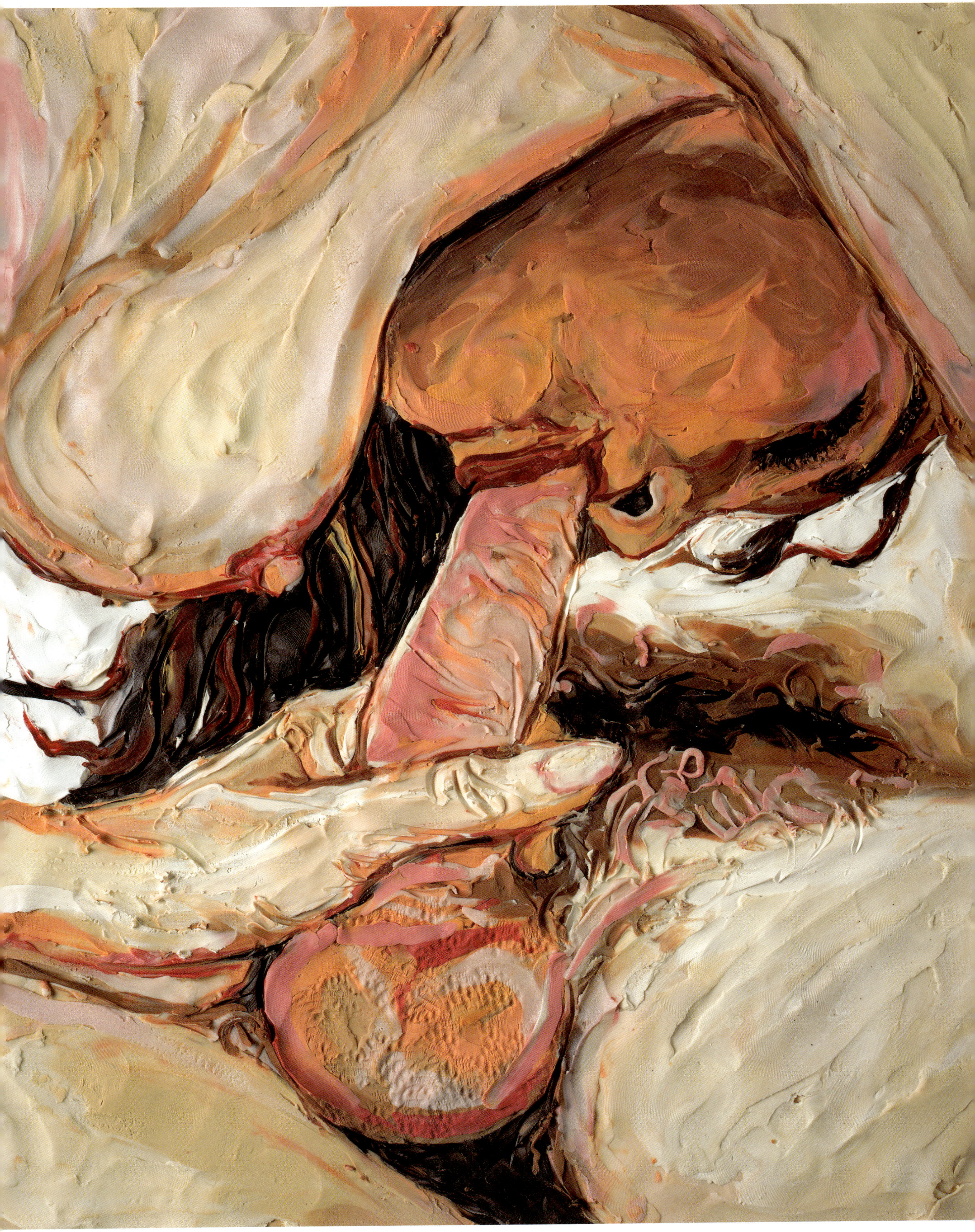

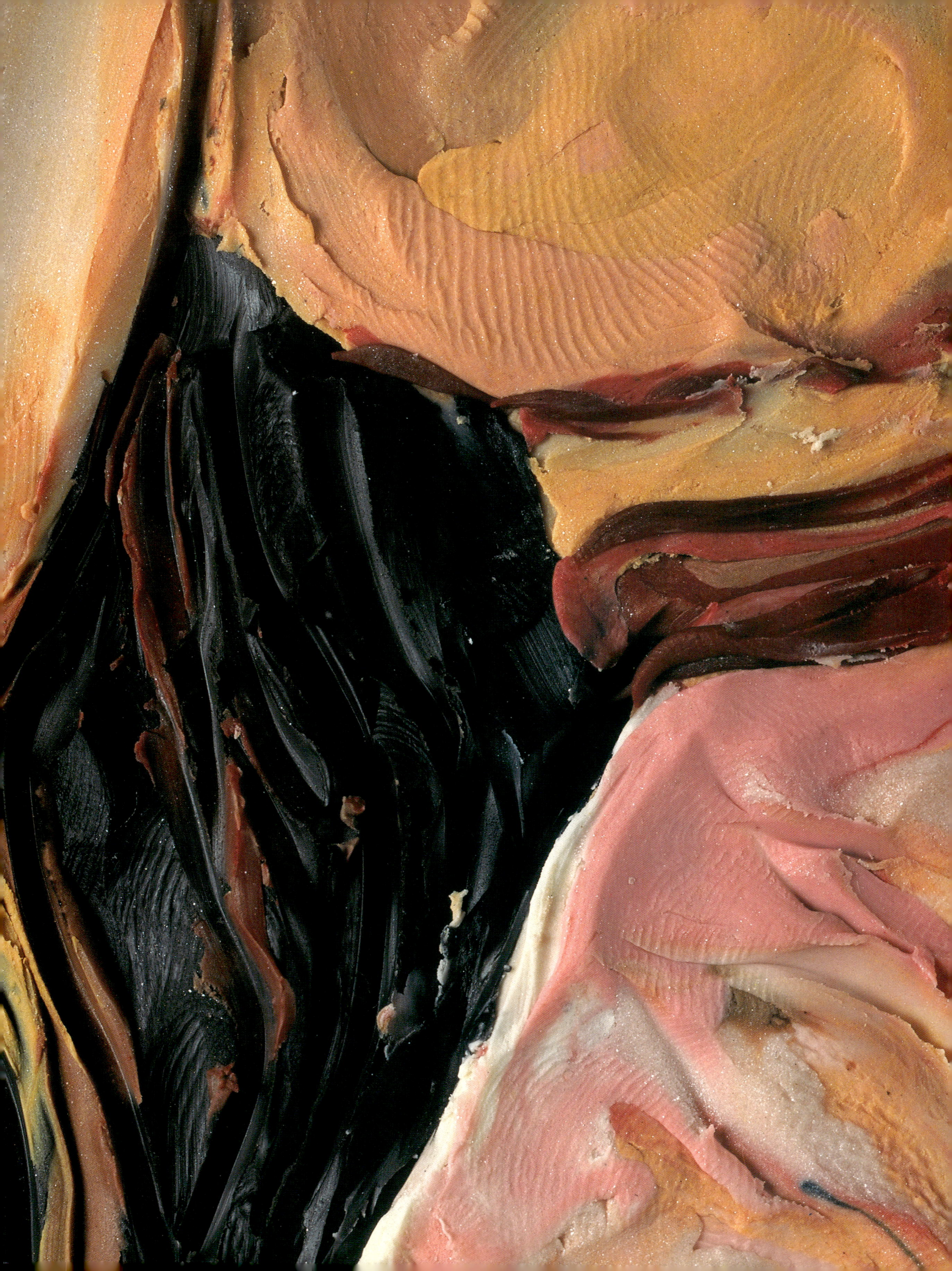

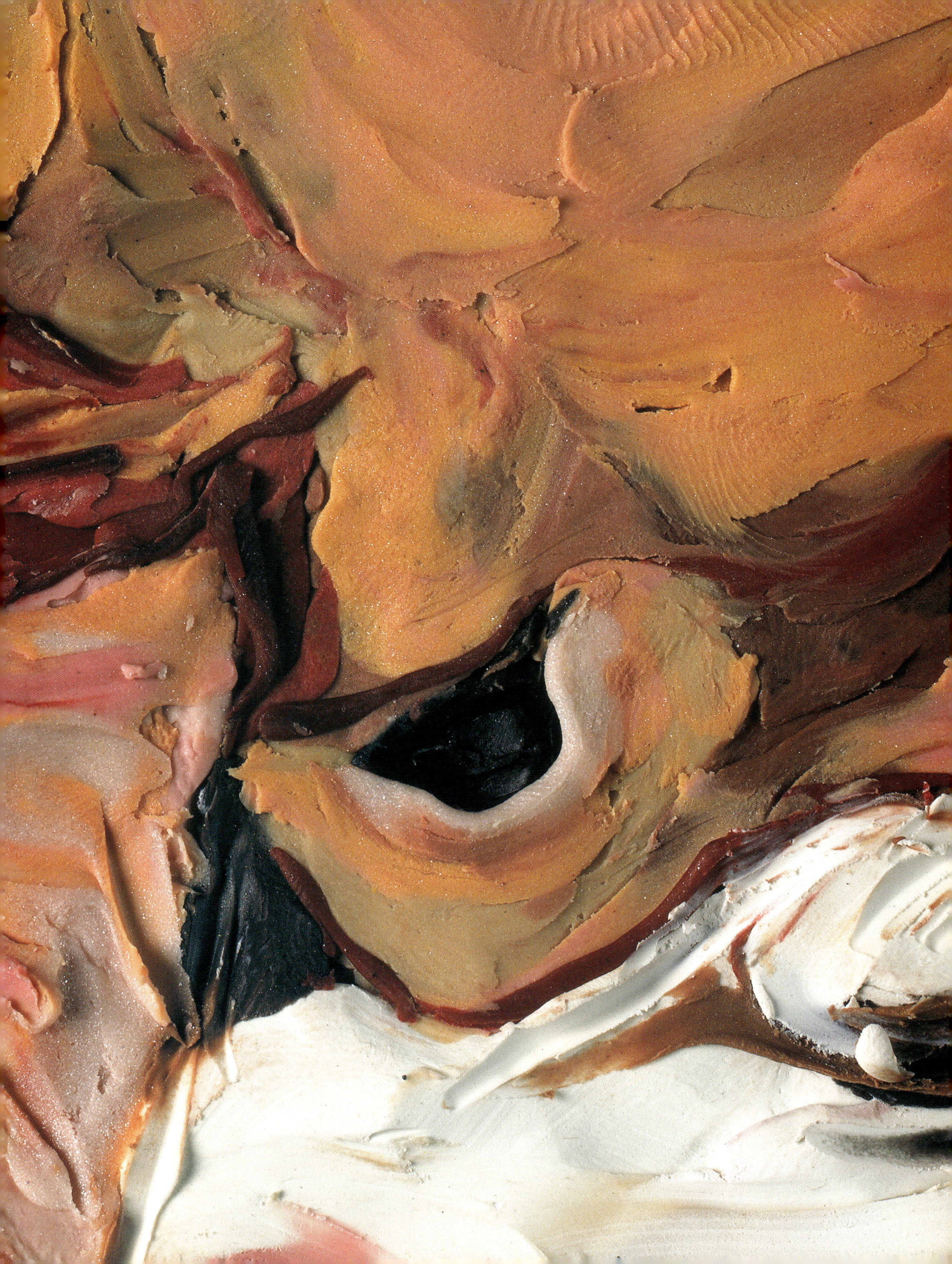

Page ci-contre / Opposite page :

Erotica 4 (Pictures of Silly Putty)
2001
Ilfochrome
Edition de 3 + 2 AP
162 x 125 cm / 64 x 50 in

Pages suivantes / Next pages :

Erotica 11 (Pictures of Silly Puttty)
2001
C-Print
Edition de 2 + 1 AP
180 x 247 cm / 71 x 97 in

Erotica 11 (Pictures of Silly Puttty)
Détail

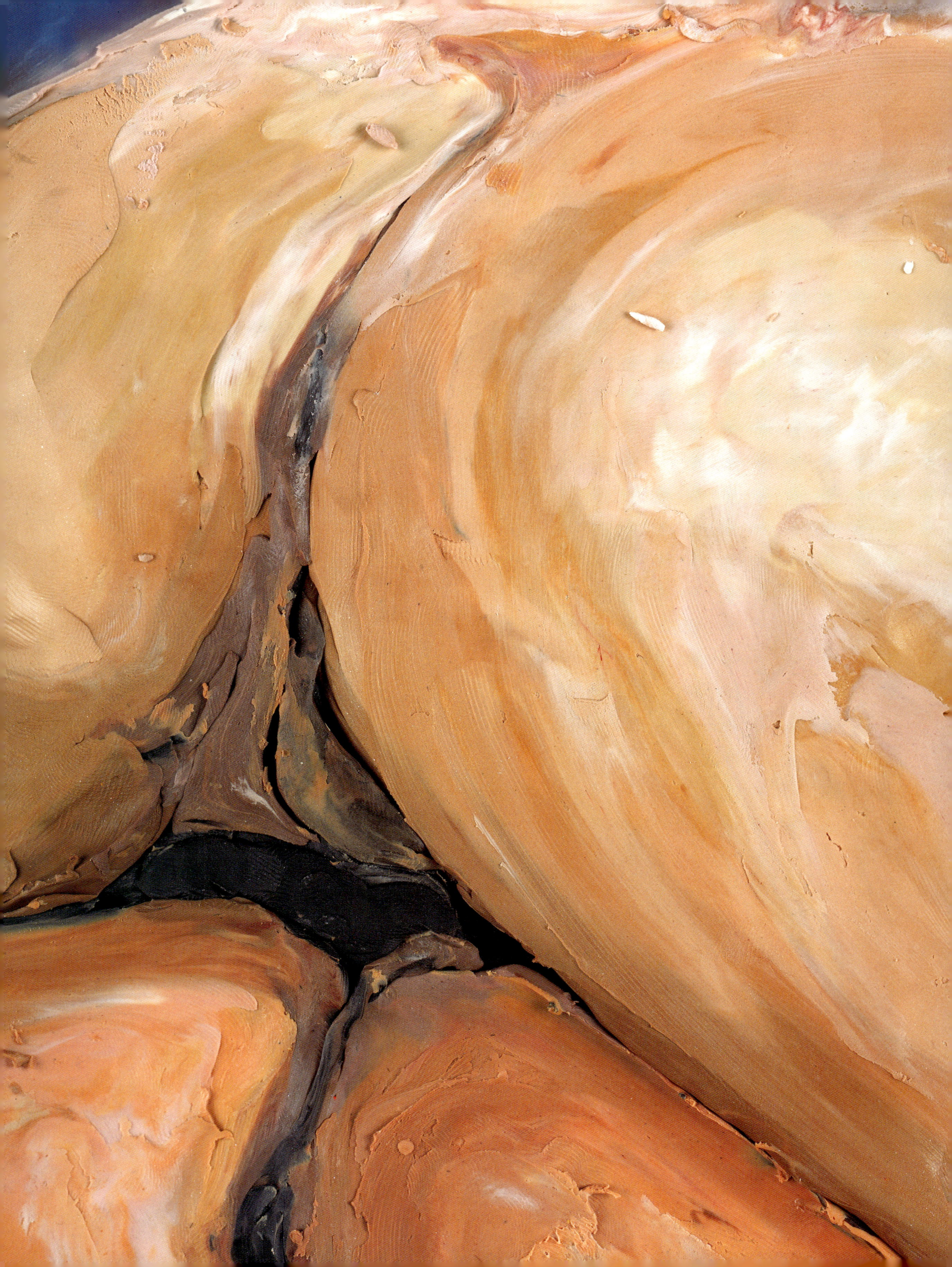

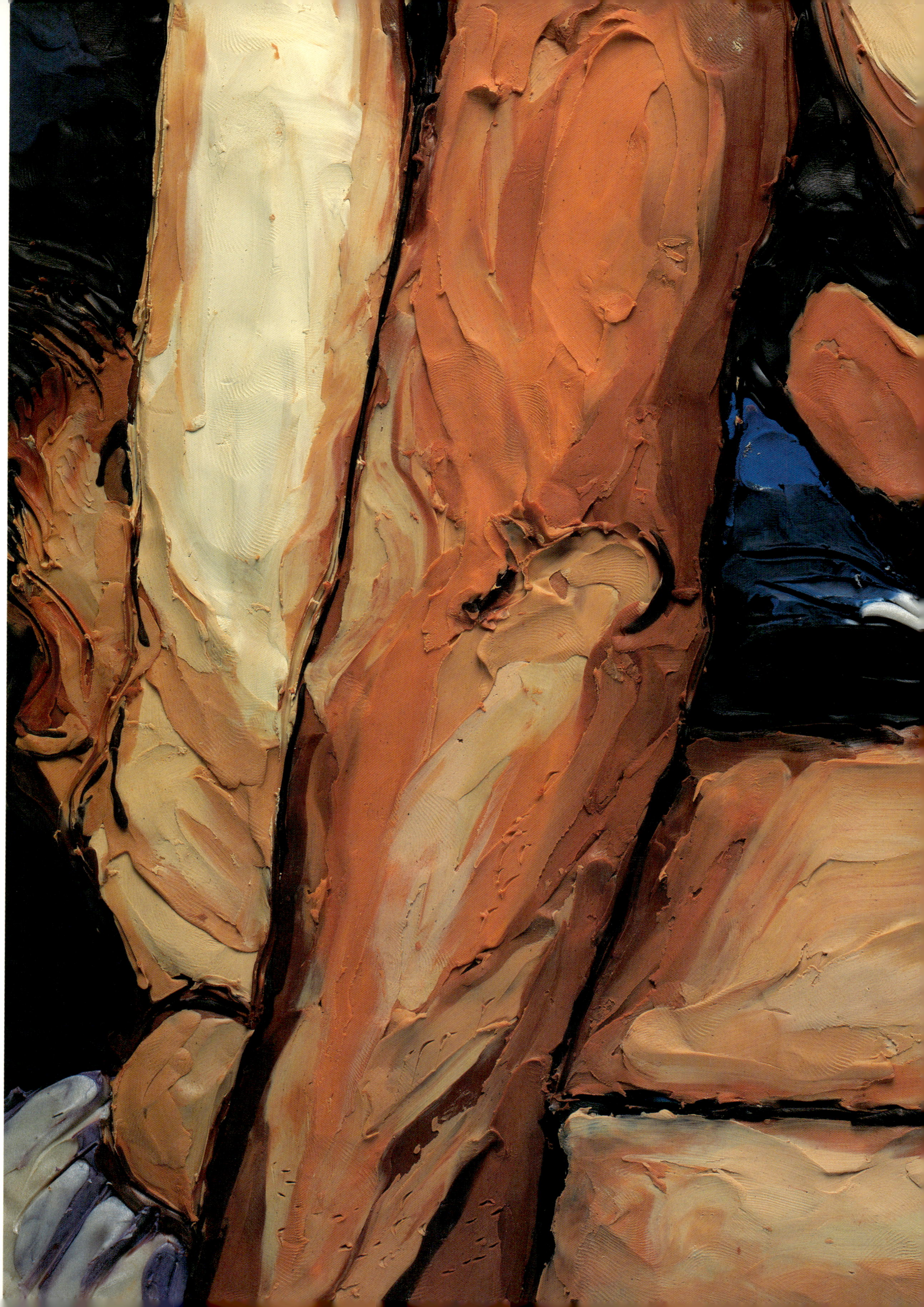

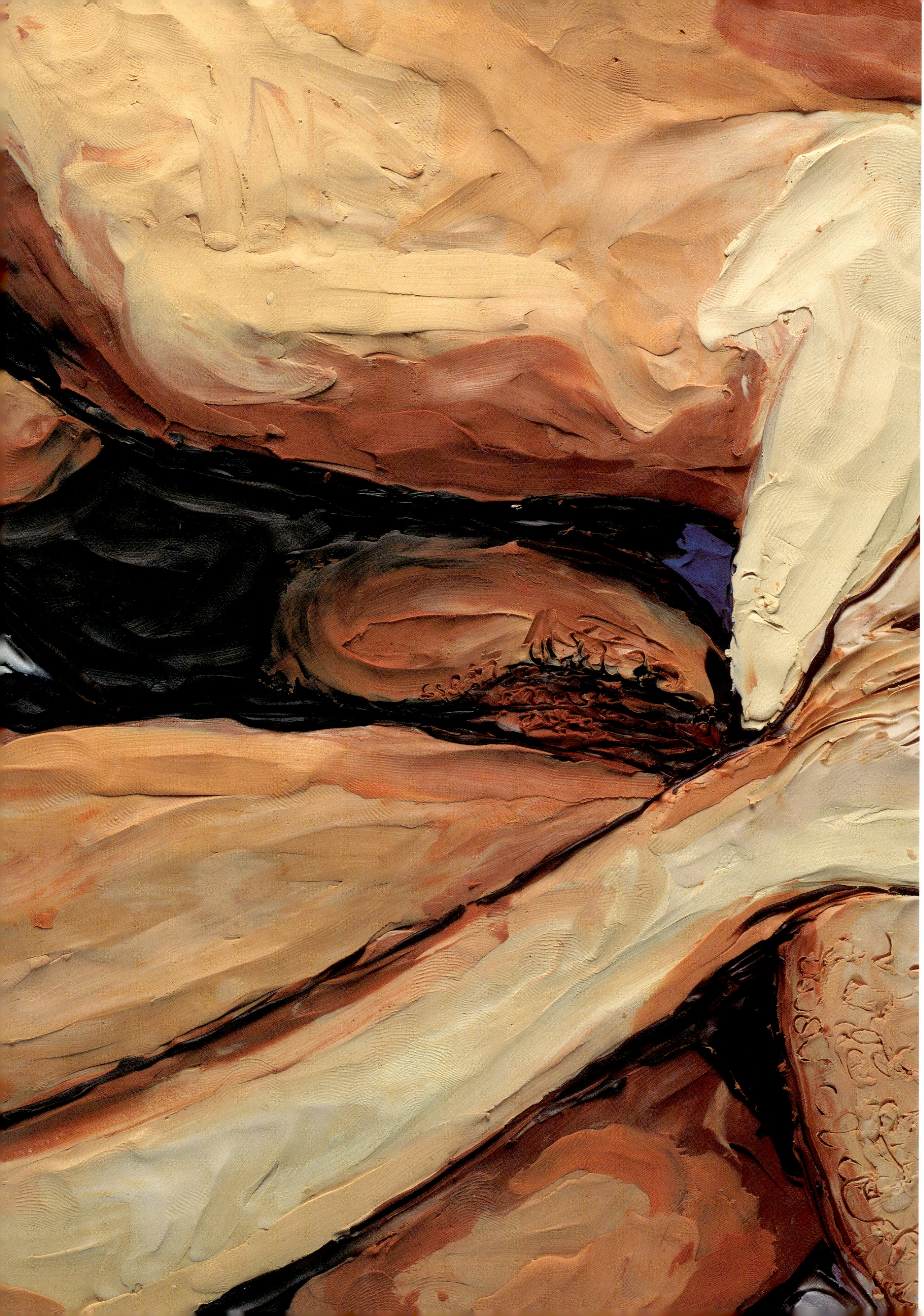

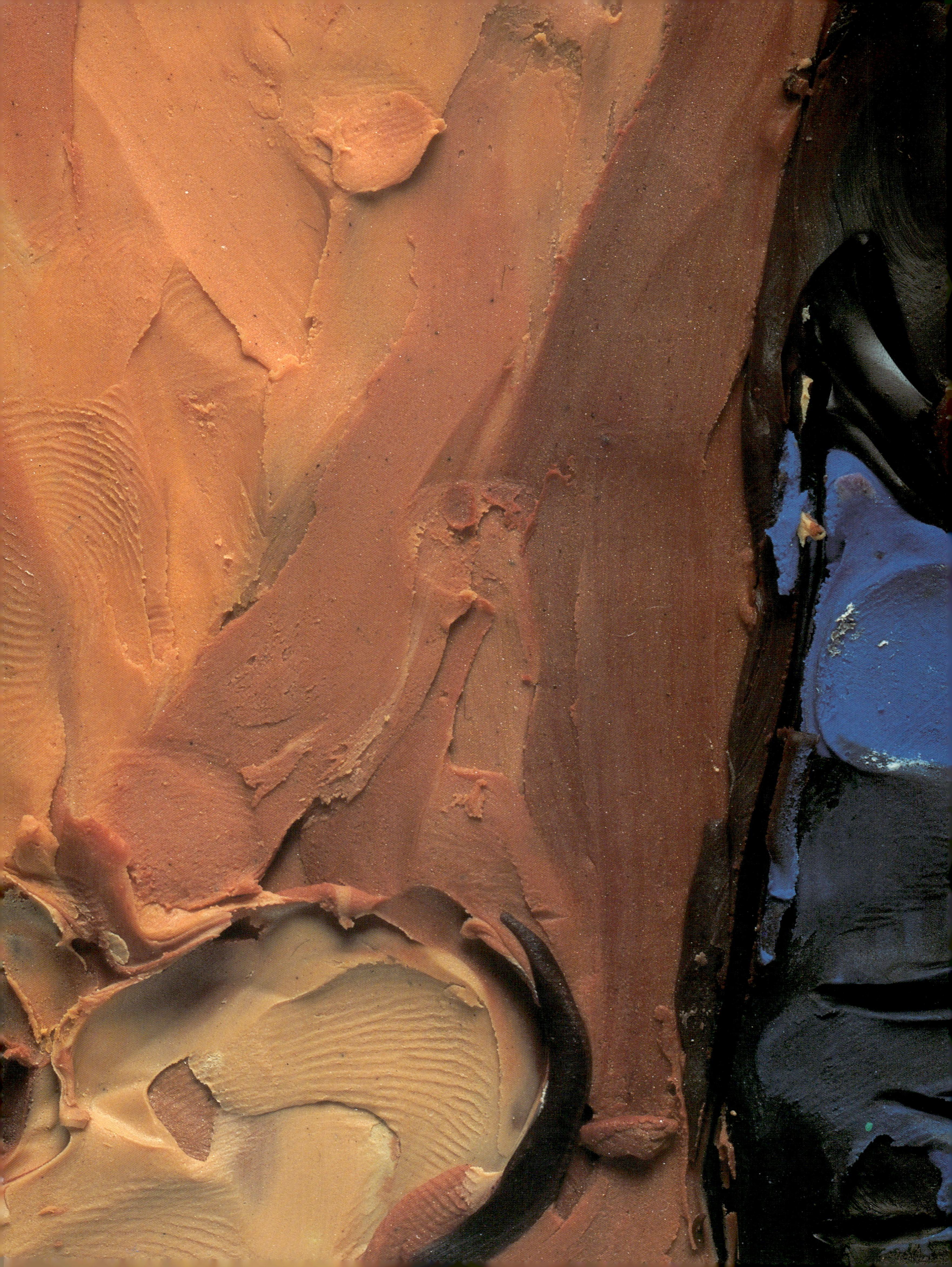

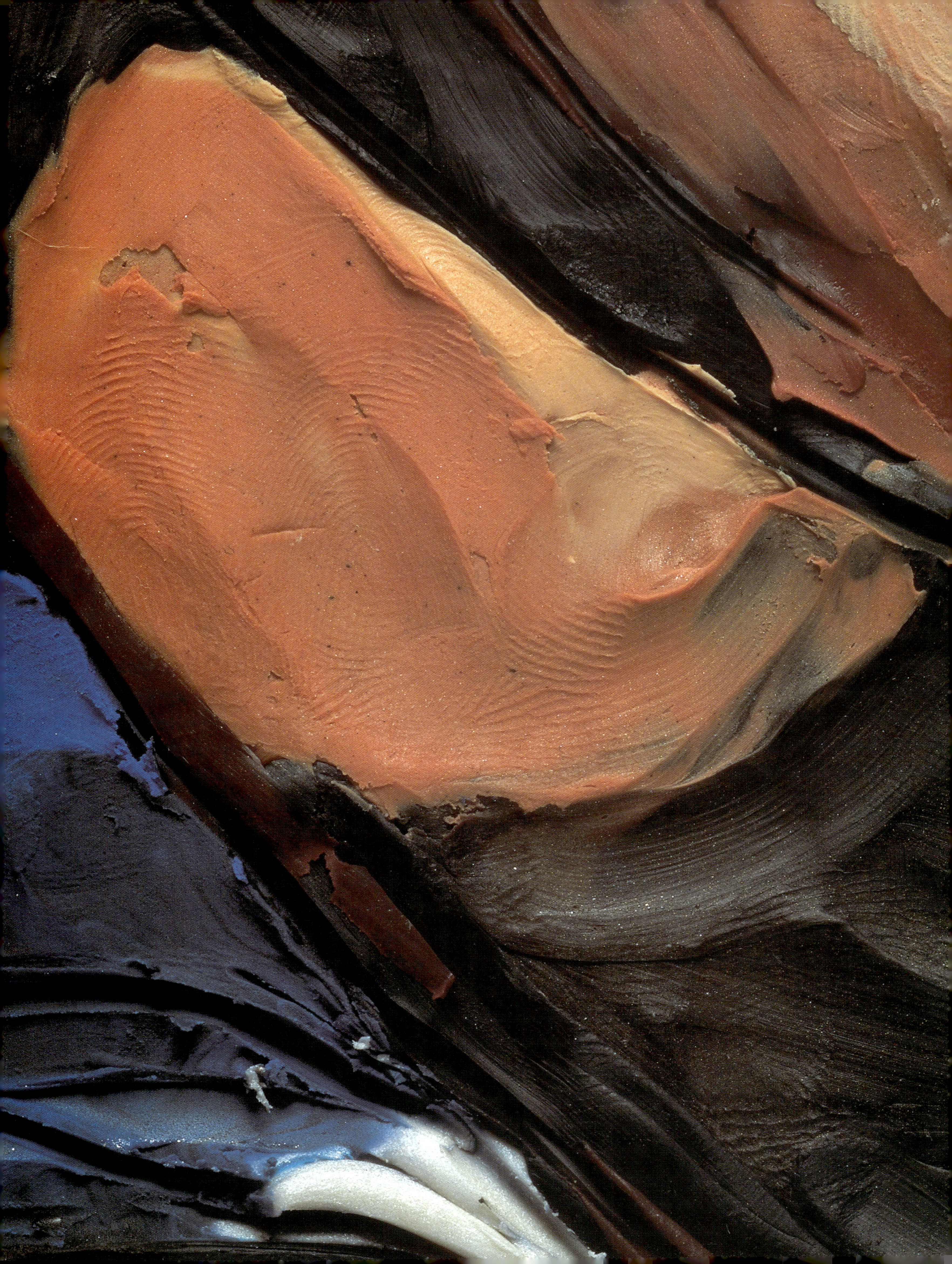

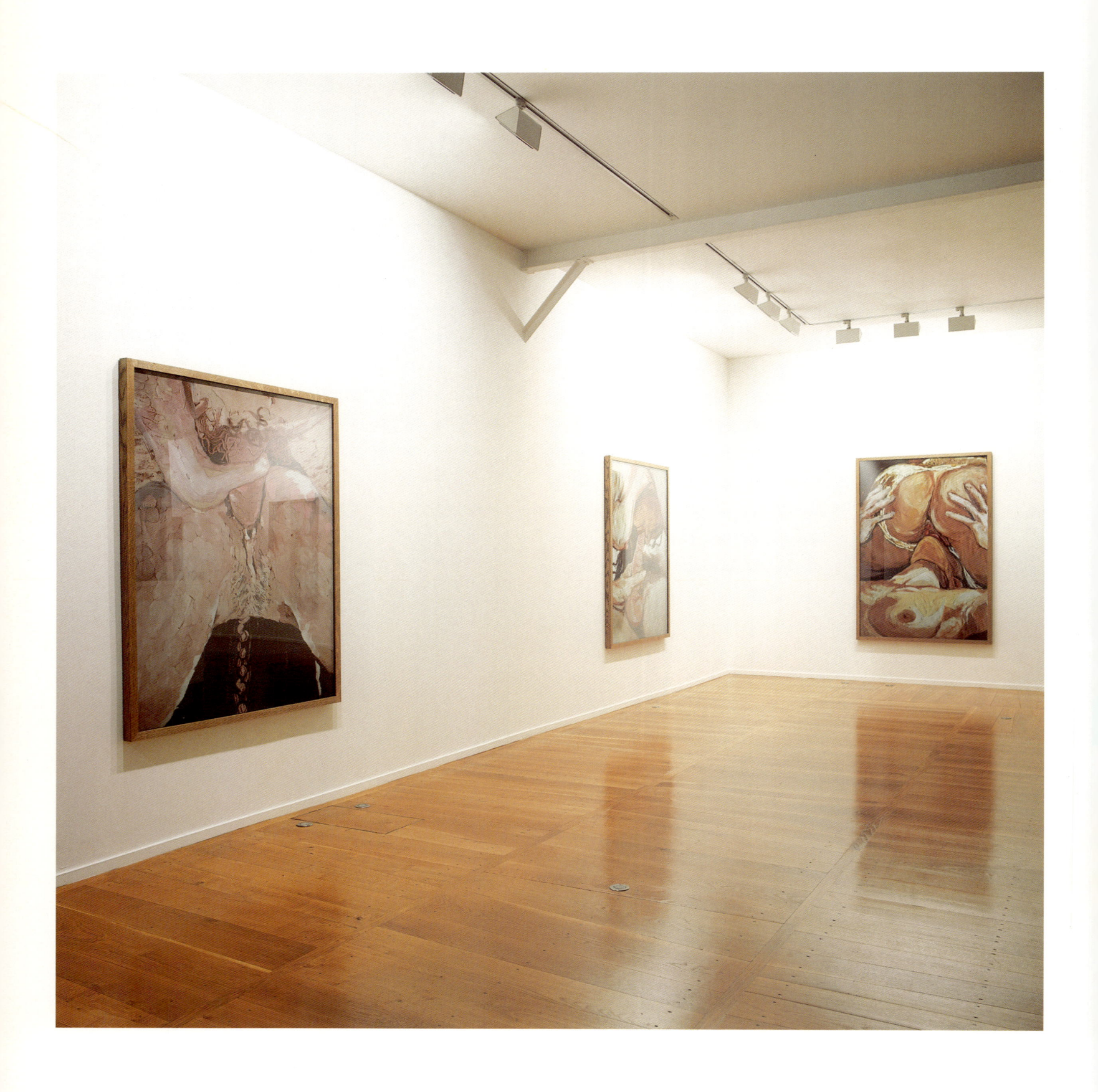

Ci-dessus et pages suivantes / Above and next pages :
Vues de l'exposition / Views of the exhibition, Galerie Xippas, Paris, 2001

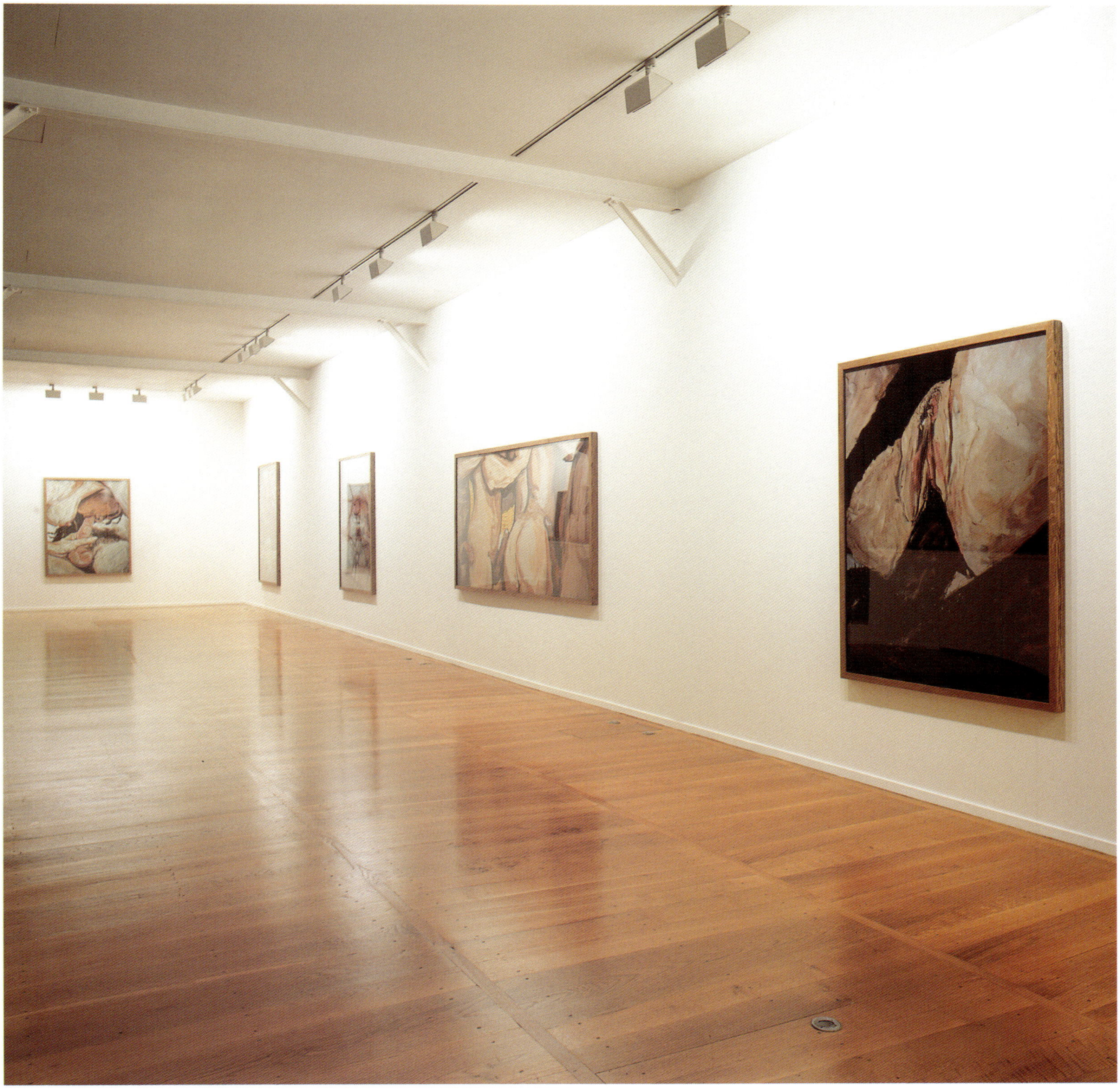

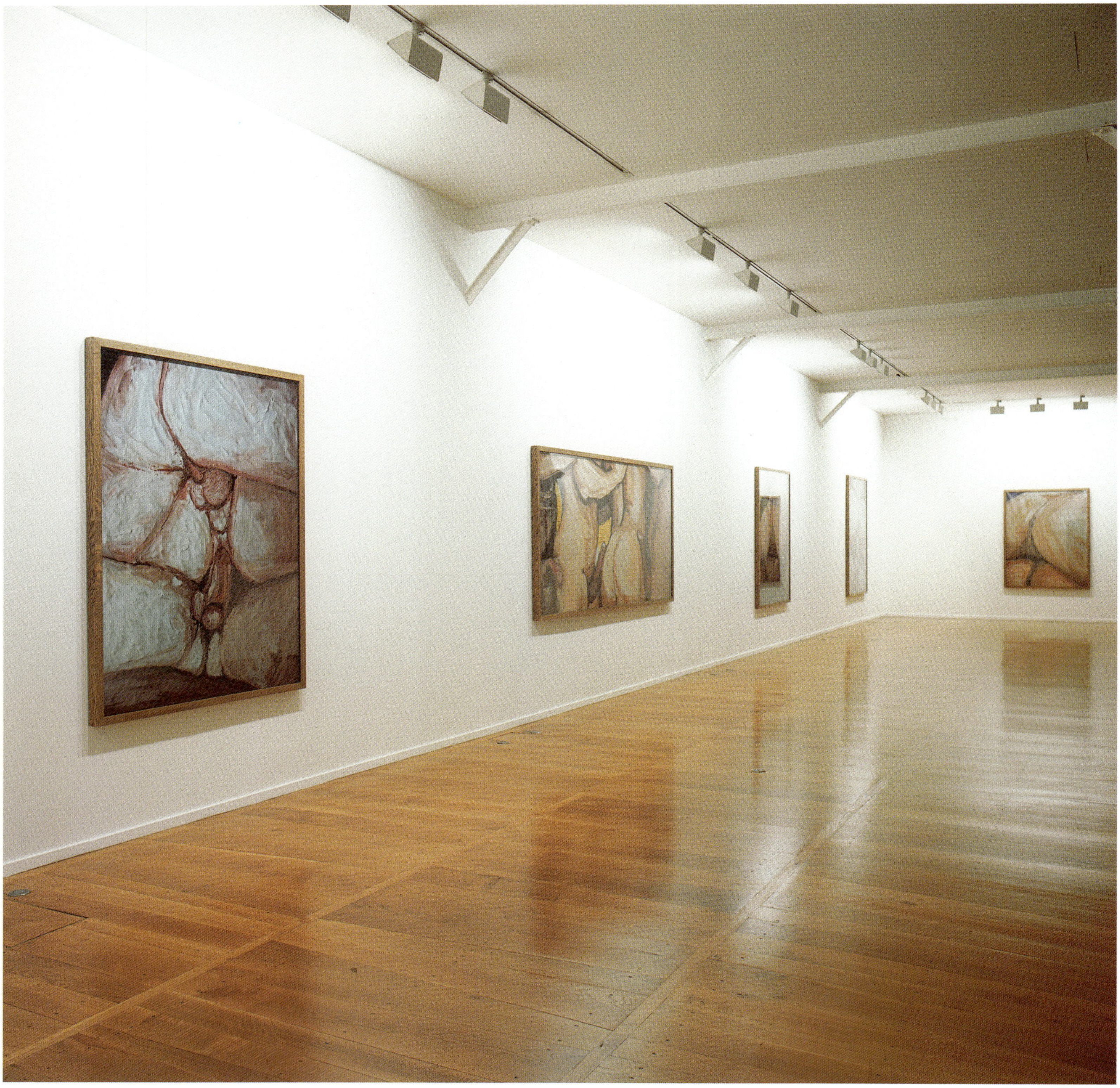

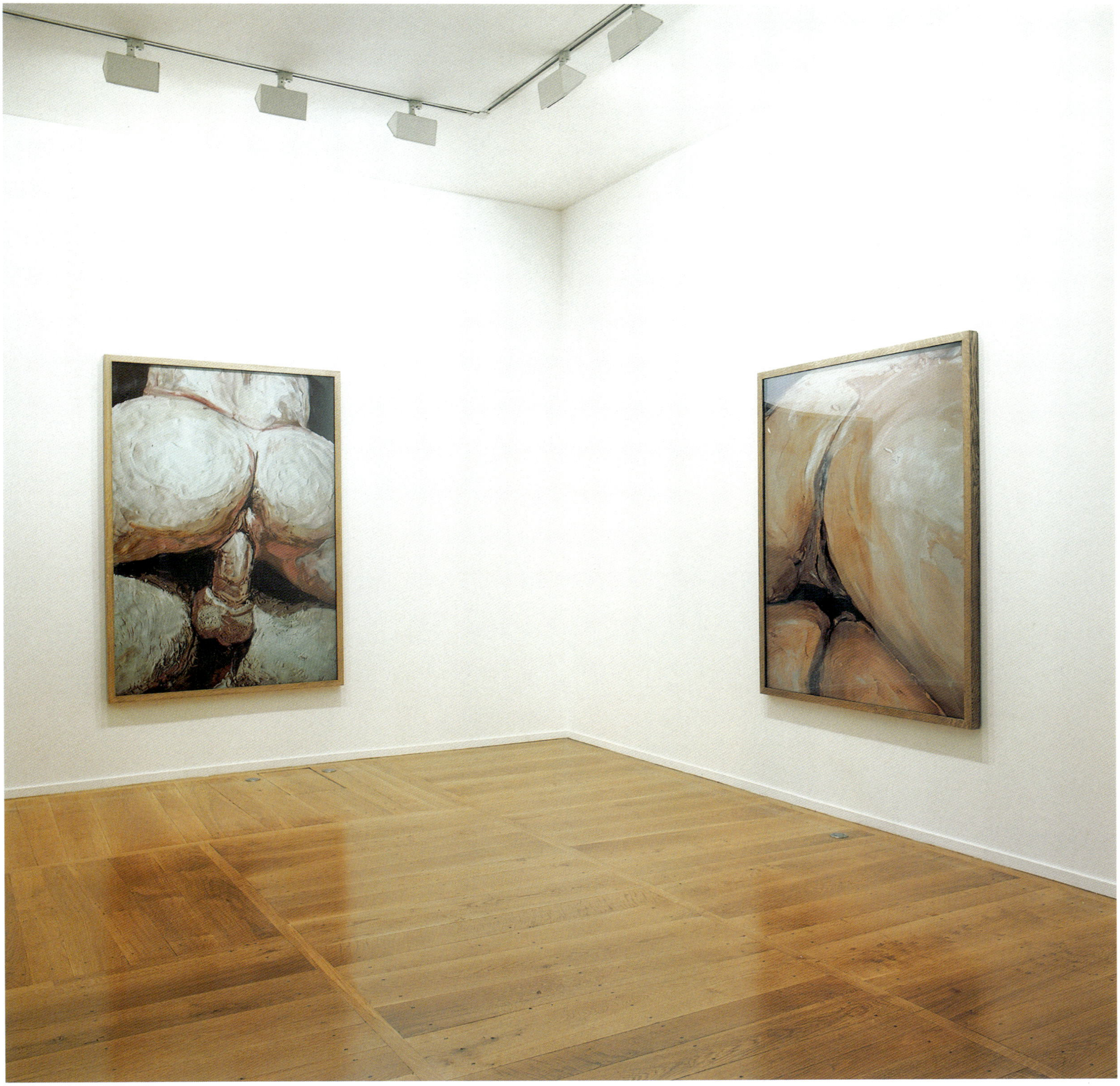

Vik Muniz
Erotica Salvatrix

There's no use pretending the contrary: even if you're prepared, walking into the exhibition gallery to see the series *Erotica* (2001) is like a slap in the face. Cibachromes and C-prints, 1.6 to over 2.5 meters on a side, showing close-ups of thighs, breasts, and penises penetrating vulvas from pretty much every possible angle. If you can stand the shock, at first, it is precisely because of the size of these images that Vik Muniz culled from pornographic sites on the Internet, and that he reproduces on a scale which literally obliges us to take our distance. The viewpoints are sometimes so close-up that you have a hard time grasping how the different body parts fit together, and occasionally all that can be distinguished at first is a vaguely abstract image. Then you have to step back to grasp the scene. In addition, the surfaces are smooth and clean, and even if you realize that the material photographed is supple, with hollows and lumps, zones of shadow and light – much more sensual, in fact, than a pixellated image appearing on a computer screen – still the glossy photographic finish acts to cast a modest veil over all this, you must admit, rather fatty-looking flesh.

The picture starts to spoil (almost literally) when you spend time before these works – as it is normal to do before any piece of art – and examine them in greater detail. The quality of the reproduction allows you to make out greatly enlarged furrows, fingerprints, scratches giving the illusion of hairs, of stippled testicles, or the way the relief has been rendered where the lips of the vulva pull back for the passage of the phallus, etc. The beholder is caught in a trap; he is like a Lilliputian, his nose between the thighs of giants. The material wins out over photographic distance, and flesh over its image. Here is why. As usual, Muniz has not simply enlarged a found photo. With inimitable care, he has first copied it on a surface of a few square centimeters, using a very concrete substance, modeling putty (hence the simulation of flesh, and what is more, fingered flesh). It is because he has pushed it with his fingers, and stretched out the putty, that the skin takes on that granular, fatty look. It's pretty disgusting. You don't feel too proud contemplating this, like vulgar porno (indeed, the whole series takes the subtitle *Silly Putty*). So you reconsider the whole thing, and take a few steps back again.

These comings and goings – between, on the one hand, the tactile character of the material in which the viewer enjoys being entrapped (and in which the artist himself risks getting stuck: Muniz admits to quite a few failures...) and on the other, photography's power of abstraction – were evoked in a most elliptical and even paradoxical way in the press release of the Xippas Gallery: "The almost physical contact with the imprints of the artist's fingers (*oohh-là-là!* [my comment]) allows for the inscription of a distance... and the discovery of other images... like landscapes or a map." (Personally I would never have thought of that, but everyone escapes the trap as best they can...). This is not unrelated to what the artist has to say about his choice of medium. Initially attracted by sculpture, he finally discovered that "the photography carried the code of the objects' tridimensionality without the baggage of weight and volume."[1] Before these works I never for a second imagined a landscape, no, I thought of – Barnett Newman! (Each to his or her libido). Newman, whom Muniz gently mocks in the interview I have just quoted. Indeed, Newman's paintings have the capacity of converting their powerful presence into a sensation of evanescence. As a viewer, either you sink into square yards of painted canvas, or you let yourself be carried away, lightened up by it. Vik Muniz places us before the same kind of either/or.

Of course, the *Erotica* series belongs to another tradition, painting that "spreads it on thick": Picabia's nudes, composed after the photographs of the "charm magazines" of the early thirties, where the brushstrokes are often highly visible, even a bit clumsy; or the provocative *Women* of De Kooning. De Kooning who perfectly explained the reasons for it all by claiming that "flesh had been the *raison d'être* of oil painting." And of modeling putty too! But we have seen that at the same time, the photographic technique allows the artist to smooth out the putty and therefore to moderate his mimetic relation to what it designates. In this sense, Muniz comes closer to another painter whom he admires, Salvador Dalí, whose following, by the way, is growing today, and rightly so. Didn't Dalí attempt to render sagging bodies, decomposing, even excremental materials, in paintings whose finish is almost "photographic"? Parodying Breton and cultivating paradox, Dalí did not hesitate to say: "Beauty will be edible, or it will not be at all." Muniz must have been touched by the definition.

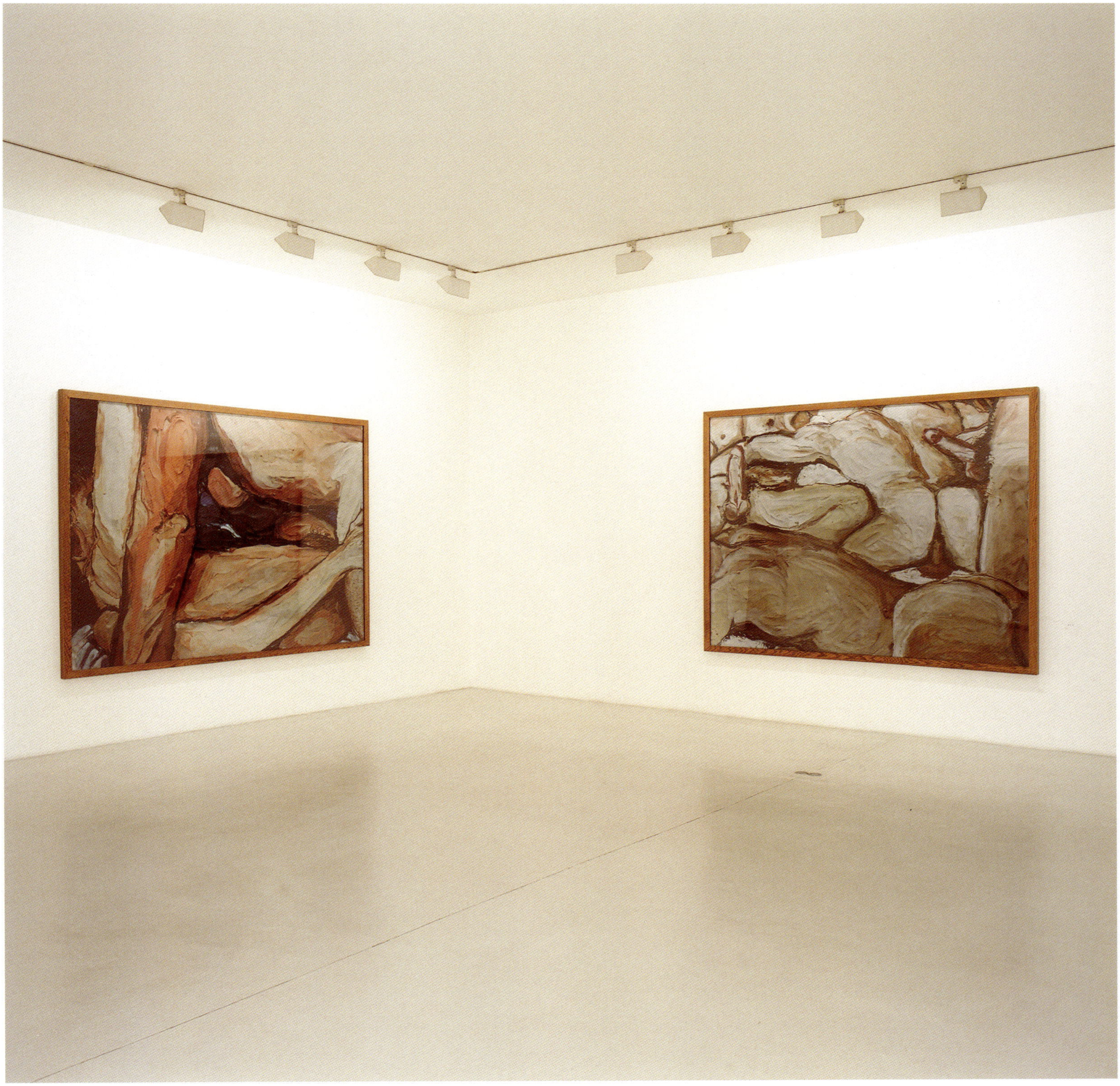

He has done images in sugar, pepper, ketchup, peanut butter, chocolate syrup... before using modeling putty today (and every mother knows that children have a furious mania for putting modeling putty in their mouths). Dalí and Muniz place us squarely before our responsibilities. If art is consumed, then we art lovers must choose whether this consumption is converted into beauty or into waste...

For his part, Muniz has chosen. The compositions in sugar or chocolate are dispersed, destroyed, after the photo has been taken. In any case, some of them are extremely fragile and precarious. In the exhibition of the *Erotica* series, you could see a kind of small ball, in a dirty beige color, lording it up in a ridiculous and derisory way in the space reserved for it, off to one side. After the proper questions were asked, it turned out to be the piece of modeling putty which, shaped, kneaded together and reshaped once again, had been used to make all the images. Raw material that remains raw, definitively abandoned to its state as a confused amalgam, an excretion, the material ejected from the image, which triumphs in its impalpable perpetuity...

Still in the same interview, Muniz speaks of his admiration for the doors of the baptistery of the Florence cathedral, sculpted by Ghiberti. What he notices there is that the bas-relief simultaneously exploits both a subtle illusion of perspective and the highly physical precision of the details in relief. In other words, before these represented scenes, one's perception wavers between the highly mental seduction of a series of arches seen in perspective, and the "haptic" attraction of the bronze. The question arises in a comparable way before the works of the *Erotica* series. Are we admiring skillful work with a few grams of modeling putty, or are we contemplating striking, suffocating photography? Do we focus on the capacity of this humble material, the modeling putty, to merge with the very substance of human flesh, or do we take the opportunity to revise or transcend our ready-made opinions about porno photos? These works are undecidable proposals, which make us realize that it is perhaps our entire relationship to the world that begins to waver here: do we inhabit the world of concrete things or the world of images of things? Even when we make love and our body mingles with another body, do we embrace only that body, or also the imaginary, fantasmatic construction with which we clothe it?

It is not forbidden to think that Vik Muniz's raw images, obtained from very raw matter, enlighten us as to a fundamental point of theology. God created man by fashioning him from a bit of clay. Following his lead, the artist models bodies with a bit of putty. Yet he spreads this putty out flat on a surface, and he so thoroughly renounces any volume that he finally photographs the result, returning it to the perfect two-dimensionality of the image. Hence this conclusion: Is it an incarnate God who saved the world? Or images of God incarnate? Images, i.e. art. Does art not renew the world's salvation every day?

Catherine Millet
Translated from the French by Brian Holmes.

(1) The quotes from Vik Muniz are excerpted from an interiew with Charles Ashley Stainback, catalogue *Seeing is Believing*, International Center of Photography, New York, Arena Editions, Santa Fé, 1998.

VIK MUNIZ

Né en 1961 à São Paulo, Brésil. Vit et travaille à New York, USA.
Born 1961 in São Paulo, Brazil. Lives and works in New York, USA.

Expositions personnelles / One-Person Exhibitions

2002
Museu de Arte Contemporanea do Centro Dragão do Mar, Ceará, Brésil.
Doug Lawing, Houston, Texas, USA.
Rena Bransten Gallery, San Francisco, Californie, USA.
Michael Hue Williams Fine Art, Londres, Grande-Bretagne.
Barbara Krakow, Boston, Massachusetts, USA.
Laberint de Vik Muniz. Spai 13, Fundació Joan Miró, Barcelone, Espagne.
Brent Sikkema Gallery, New York, USA.
The Menil Collection, Houston, Texas, USA.
Reparte. CU Art Galleries, University of Colorado, Boulder, Colorado, USA.

2001
Fundação Joaquim Nabuco, Recife, Brésil.
Vik Muniz - Homenagem ao Centenário de J.K. Museu da Pampulha, Belo Horizonte, Brésil.
Museu de Arte Moderna, Recife, Brésil.
Erotica. Galerie Xippas, Paris, France. *
49ème Biennale de Venise (avec Ernesto Neto). Pavillon brésilien et Palazzo Fortuny, Venise, Italie. *
Reparte. Henry Art Gallery - University of Washington, Seattle, Washington ; Atlanta College of Art, Atlanta, Géorgie, USA.
Gallery Gan, Tokyo, Japon.
Galeria Camargo Vilaça, São Paulo, Brésil.
Clayton Days. Espaço Cine, São Paulo, Brésil.
Contemporary Arts Center, Nouvelle Orléans, Louisianne, USA.
Museu de Arte Moderna, Rio de Janeiro, Brésil.
The Things Themselves: Pictures of Dust by Vik Muniz. Whitney Museum of American Art, New York, USA.
Galerìa Elba Benitez, Madrid, Espagne
The ThingsThemselves: Pictures of Dust. Michael-Hue Williams Fine Art, Londres, Grande-Bretagne.

2000
Pictures of Ink. Brent Sikkema Gallery, New York, USA.
"Photographs" & Personal Articles. UBU Gallery, New York, USA.
Huis Marseille, Stichting voor fotografie, Amsterdam, Pays-Bas.
Tang Teaching Museum and Art Gallery, Saratoga Springs, New York, USA.
Clayton Days. The Frick Art and Historical Center, Pittsburgh, Pennsylvanie, USA. *
Musée de l'Elysée Lausanne, Lausanne, Suisse.
Centro Cultural Ricoletta, Buenos Aires, Argentine.
Universidad de Salamanca, Salamanque, Espagne.
The Contemporary Art Museum, Honolulu, Hawaii, USA.
The Invisible Object. Galeria Camargo Vilaça, São Paulo, Brésil.
Earthworks. Rena Bransten Gallery, San Francisco, Californie, USA.

1999
After Warhol. Galerie Xippas, Paris, France. *
Centre National de la Photographie, Paris, France. *
Flora Industrialis. Caisse des dépôts et consignations, Paris, France. *
Center for Creative Photography, Tucson, Arizona, USA.
Galerie Lars Bohman, Stockholm, Suède.
Gian Enzo Sperone Gallery, Rome, Italie.
Photo & Co.,Turin, Italie.
Beyond the Edges. The Metropolitan Museum of Art, New York, USA.
Museum of Contemporary Photography, Chicago, Illinois, USA.

1998
Galeria Módulo, Lisbonne, Portugal.
Seeing is Believing. International Center of Photography, New York, USA. *
Beyond the Edges.The Metropolitan Museum of Art, New York, USA.
Flora Industrialis. Brent Sikkema Gallery, New York, USA.
Rena Bransten Gallery, San Francisco, Californie, USA.

1997
Pictures of Thread. Wooster Gardens, New York, USA.
Galeria Camargo Vilaça, São Paulo, Brésil.
Dan Bernier Gallery, Los Angeles, Californie, USA.

1996
The Sugar Children. Tricia Collins Contemporary Art, New York, USA.
Galeria Casa de Imagen, Curitiba, Brésil.
The Best of Life. Wooster Gardens, New York, USA.
Pantomimes. Rena Bransten Gallery, San Francisco, Californie, USA.

1995
The Wire Pictures. Galeria Camargo Vilaça, São Paulo, Brésil.

1994
Representations. Wooster Gardens, New York, USA.

1993
Equivalents. Tricia Collins Contemporary Art, New York, USA.
Equivalents. Ponte Pietra Gallery, Vérone, Italie. *

1992
Individuals. Stux Gallery, New York, USA.
Claudio Botello Arte, Turin, Italie.

1991
Gabinete de Arte Rachel Arnaud, São Paulo, Brésil. *
Galerie Claudine Papillon, Paris, France.

1990
Meyers/Bloom Gallery, Santa Monica, Californie, USA.
Stephen Wirtz Gallery, San Francisco, Californie, USA.

1989
Stux Gallery, New York, USA. *

Expositions de groupe institutionnelles (sélection) / Selected Group Exhibitions (Public Institutions)

2002
La Mirada: the Art of Photography in Latin America Today. Daros Latin America, Zürich, Suisse.

La Mirada Ajena, El Retrato en la Colección Ordóñez Flacón de Fotografía. Artium. Centro-Museo Vasco de Arte Contemporáneo de Vitoria-Gasteiz, Espagne.
Tempo. Inaugural group show of MoMAQNS, Queens, New York, USA.
New Directions in Contemporary Art/ Human Form Exhibition. Sheldon Memoria Art Gallery, Lincoln, Nebraska, USA.
The Photogenic: Photography through its Metaphors in Contemporary Art. The Insitute of Contemporary Art, University of Pennsylvania, Philadelphie, Pennsylvanie, USA.
Moving Pictures. Solomon R. Guggenheim Museum, New York, USA.
Visions from America: Photographs from the Whitney Museum of American Art 1940-2001. Whitney Museum of American Art, New York, USA. *
What's New: Recent Acquisitions in Photography. Whitney Museum of American Art, New York, USA.
Collection of Photographs from MAM. Museu de Arte Contemporanea de São Paulo, São Paulo, Brésil. *
Huesca Image: VIII International Festival of Photography. Huesca, Espagne. *
Staging Reality: Photography from the West Collection at SEI. The Rosenwald-Wolf Gallery at the University of the Arts, Philadelphie, Pennsylvanie, USA.

2001
Museum as Subjects. The National Museum of Art, Osaka, Japon.
Drawn from Photography. Los Angeles County Museum of Art, Los Angeles, Californie, USA.
Planet Earth. The City Gallery, Leicester, Grande-Bretane.
Brazil: Body and Soul. The Solomon R. Guggenheim Museum, New York, USA.
Espelho Cego: Seleções de uma Coleção Contemporanea. Paço Imperial, Rio de Janeiro, Brésil.
F(R)ICCIONES. Museo Nacional Centro de Arte Reina Sofía, Madrid, Espagne. *
Arte Latino: Treasures from the Smithsonian American Art Museum. Washington D.C., USA

2000
Open Ends: Counter-Monuments and Memory ; *Minimalism and After* ; *The Path of Resistance* ; *White Spectrum.* Museum of Modern Art, New York, USA.
Fundação Calouste Gulbekian, Lisbonne, Portugal.
La Luz: Contemporary Latino Art in the United States. National Hispanic Cultural Center of New Mexico, Albuquerque, Nouveau Mexique, USA.
Projecto Mnemosyne: Encontros de Fotografia. Museu Antropologico, Coimbra, Portugal. *
The 46th Corcoran Biennial Exhibition: Media/Metaphor. The Corcoran Gallery of Art, Washington D.C, USA.
The Quiet of the Land. Museu de Arte Moderna, Salvador, Brésil. *
Expanding Horizons: Landscape Photographs from the Whitney Museum of American Art. Whitney Museum of American Art at Philip Morris, New York, USA; Museu de Arte Moderna, Salvador, Brésil.
Deslocamentos do Feminino. Galeria Conjunto Cultural da Caixa, Rio de Janeiro, Brésil.
Whitney Biennial. Whitney Museum, New York, USA. *
Bruit de fond. Centre National de la Photographie, Paris, France.
Le Paysage dans l'assiette. Les soirées Nomades de la Fondation Cartier, Paris, France.
Brasil +500: Mostra do Redescobrimento: Artes Visuais. Modulo de Arte Contemporanea, Pavilhao Ciccillo Matarazzo, São Paulo, Brésil.
A Figura Humana na Colecao Itau, Itau Cultural, São Paulo, Brésil.
3a Bienal Internacional de Fotografia, Curitiba, Porto Alegre, Brésil.

1999
The Museum as Muse: Artist Reflect. The Museum of Modern Art, New York, USA.
Abracadabra. The Tate Gallery, Londres, Grande-Bretagne. *
Trace. First Liverpool Bienial of Contemporary Art, Tate Gallery, Liverpool, Grande-Bretagne.
La collection de la Fondation Cartier pour l'art contemporain. Centro Arte Contemporanea, Palazzo delle Papesse, Sienne, Italie.

1998
XXIV Biennale Internacional de São Paulo. São Paulo, Brésil.
The Cannon Gallery for Photography. The Victoria and Albert Museum, Londres, Grande-Bretagne.
Urban Canibal. Paço das Artes, São Paulo, Brésil.
Double Trouble. The Patchett Collection. Museum of Contemporary Art, San Diego, Californie, USA.
Le Donné, le Fictif. Centre National de la Photographie, Paris, France.
The Garden of the Forking Paths. Kunstforeningen, Copenhague, Danemark. Exposition itinérante : Oslo, Norvège ; Helsinki, Finlande.
Over Our Heads: The Image of Water in Contemporary Art. Museum of Art, San Jose, Californie, USA.
Coleção Gilberto Chateaubriand/ Museu de Arte Moderna de Rio de Janeiro. Haus der Kulturen der Welt, Berlin, Allemagne.
Das Mass der Dinge. Ursula Blickle Stiftung, Kraichtal, Allemagne ; Galerie Im Traklhaus, Saltzburg, Autriche.
The Cottingley Fairies and Other Apparitions. The Brooks Museum of Art, Memphis, Tennessee, USA.
La Collection II. Fondation Cartier pour l'Art Contemporain, Paris, France.

1997
New Photography XIII. The Museum of Modern Art, New York, USA.
New Faces and Other Recent Acquisitions. The Art Institute of Chicago, Chicago, Illinois USA.
Assi Esta la Cosa. Centro Cultural Arte Contemporaneo, Mexico DF, Mexique.
Une Fleur des Photographes : L'Arum. Musée National de la Coopération Franco-Américaine, Château de Biérancourt, Biérancourt, France.
Photographies d'une Collection. Caisse des dépôts et consignations, Paris, France. *
Colección Ordóñez Flacón de Fotografía. IVAM Centro Julio Gonzalez, Valence, Espagne. *

1996
Recent Acquisitions. The Metropolitan Museum of Art, New York, USA.
Inclusion/Exclusion. Steirischer Herbst, Graz, Autriche. *
Some Assembly Required. The Art Institute of Chicago, Chicago, Illinois, USA.
Novas Aquisições. Coleção Gilberto Chateaubriand / Museu de Arte Moderna de Rio de Janeiro, Brésil.

Shadow Play. San Jose Institute of Contemporary Art, San Jose, Californie, USA.

1995
Changing Perspectives. Contemporary Art Museum, Houston, Texas, USA.
Panorama da Arte Contemporanea Brasileira. Museu de Arte Moderna, São Paulo, Museu de Arte Moderna, Rio de Janeiro, Brésil. *
Mostra America. Fundação Cultural de Curitiba, Curitiba, Brésil.
Recent Acquisitions. Los Angeles County Museum of Art, Los Angeles, USA.
The Photographic Condition. San Francisco Museum of Modern Art, San Francisco, USA.
The Cultured Tourist. Center For Photography at Woodstock, New York, USA.
Blindspot. The MAC, Dallas Artist Research and Exhibition, Dallas, Texas, USA.

1994
Single Cell Creatures. Katonah Museum of Art, Katonah, New York, USA.
Crash. The Thread Waxing Space, New York, USA.

1993
The Alternative Eye: Photography for the 90's. Southern Alleghenies Museum, Loreto, Italie.
Time to Time. Castello de Rivara, Turin, Italie.
Sound. Museo d'Arte Moderna, Bolzano, Italie. *
Post-Verbum. Palazzo della Regione, Bergame, Italie.

1992
Life Size: Small, Medium, Large. Museo per l'arte contemporanea Luigi Pecci, Prato, Italie. *
Multiples. The Alldrich Museum of Art, Ridgefield, Connecticut, USA.
Detour. The International House, New York, USA. *
The Collection. Centro per l'Arte Contemporaneo Luigi Pecci, Prato, Italie.
Theoretically Yours. Regione Autonoma della Valle d'Aosta, Aoste, Italie.

1991
Mike Kelley/Vik Muniz/Jim Shaw. Real Art Ways, Hartford, Connecticut, USA.
The Encompassing Eye. Photography as Drawing. University Art Galleries, University of Akron, Akron, Ohio, USA.
The Neighborhood. A. I. R., Amsterdam, Pays-Bas.
Anni Novanta. Galleria d'Arte Moderna, Bologne, Italie. *
Real Fake. Fondation Cartier, Jouy-en-Josas, France.

1990
Constructed Illusion. Pace MacGill Gallery, New York, USA.
On the Edge Between Sculpture and photography. Cleveland Center for Contemporary Art, Cleveland, Ohio, USA. *
De Rozeboomkamer. Beeldenroute Foundation, Diepenheim, Pays-Bas.

* Catalogues d'exposition / Exhibitions with published catalogues

Collections Publiques / Public Collections

The Aldrich Museum of Contemporary Art, Ridgefield, Connecticut, USA.
The Art Institute of Chicago, Illinois, USA.
Birmingham Museum of Art, Alabama, USA.
The Bohen Foundation, New York, USA.
Caisse des dépôts et consignations, Paris, France.
La Coleccion Jumex, Mexico, Mexique.
The Contemporary Museum of Honolulu, Hawaii, USA.
Daros Latin America, Zürich, Suisse.
DMA, Dallas, Texas, USA.
FNAC (Fonds natinal d'Art Contemprain), Paris, France.
Fondation Cartier, Paris, France.
Huis Marseille, Foundation for photography, Amsterdam, Pays-Bas.
The International Center of Photography, New York, USA.
IVAM Centro Julio Gonzales, Valence, Espagne.
The Jewish Museum, New York USA.
Los Angeles County Museum, Californie, USA.
Los Angeles Museum of Contemporary Art, Californie, USA.
The McArthur Foundation.
La Maison Européenne de la Photographie, Paris, France.
Museo de Arte Contemporanea Luigi Pecci, Prato, Italie.
Museu de Arte Moderna, Rio de Janeiro, Brésil.
Museu de Arte Moderna de São Paulo, Brésil.
The Museum of Fine Arts, Boston, Massachusetts, USA.
The Museum Of Fine Arts, Houston, Texas, USA
The Museum of Modern Art, New York, USA.
The Metropolitan Museum of Art, New York, USA.
The National Museum of American Art, Smithsonian Institution, Washington D.C., USA.
The Norton Family Foundation, Los Angeles, Californie, USA.
The Progressive Corporation, Cleveland, Ohio, USA.
Reader's Digest.
Roseum, Malmo, Suède.
San Francisco Museum of Modern Art, Californie, USA.
The San Jose Museum of Art, Californie, USA.
SEI Prudential, Newark, New Jersey, USA.
The Victoria and Albert Museum, Londres, Grande-Bretagne
The Whitney Museum of American Art, New York, USA.

Catalogue publié à l'occasion de l'exposition Vik Muniz
27 octobre - 12 décembre 2001, Galerie Xippas, Paris, France

Copyright © 2002 Galerie Xippas, Catherine Millet, Brian Holmes

Crédits photographiques :
Pour toutes les reproductions : Copyright © Vik Muniz
Vues de l'exposition : Copyright © Frédéric Lanternier

Tous droits réservés

Galerie XIPPAS

108, RUE VIEILLE-DU-TEMPLE - 75003 PARIS - TÉL.: +33 (0)1 40 27 05 55 - FAX: +33 (0)1 40 27 07 16
www.xippas.com   e-mail: gallery@xippas.com